「脳にいいこと」だけをやりなさい！

マーシー・シャイモフ［著］
茂木健一郎［訳］

三笠書房

訳者のことば

「茂木さんはいつも楽しそうだなぁ」

今、注目の脳内の「楽観回路」を働かせる方法！

茂木健一郎

この本は、あなたに「コペルニクス的転回」をもたらす！

驚きました。

この本は、「コペルニクス的転回」になるかもしれません。

あなたの「心」だけでなく、「幸せ」や「ツキ」までも、ひいては「人生」までも変えてしまうくらいの新事実が明らかにされているからです。

「もっと楽しい人生を歩むために、必要なものは何ですか」と聞かれたら、あなたは何と答えるでしょう。

「お金さえあれば」

「もっと違う会社に入っていれば」

「もうちょっと見た目がよければ」

おそらく真っ先に、こういった「目に見えること」を思い浮かべる人も多いのではないでしょうか。

過去、こういった「豊かさ」こそ幸せにつながるとされてきました。

しかし、**今の脳科学の立場から見ると、「幸せを感じるには、特別な豊かさなど必要ない」**のです。

客観的に見て恵まれているから幸せに近づくのではなく、**「自分の脳がそれをどう評価するか」によって「幸せ度」は決まります。**

極端に言うと、お金で満足していなくても、一流企業に勤めていなくても、恋人がいなくても、頭の働かせ方しだいで幸運をたくさんつかんで、幸せになることができる、ということ。

「そんなわけがないじゃないか。元手がなくてはそれ以上何も手に入らないというのは、常識だろう」と思った人にこそ、この本をお読みいただきたいと思います。

「今あること、今起こっていることをどう評価するか」は、**人生をも左右する、脳の構造の**

大きなポイントなのです。

この本は脳科学の専門書でもないのに、そんな「脳の仕組み」と、「幸せをつかめる人・つかめない人」の関係をズバリと言い当て、わかりやすく説明してあるところがすごいのです。

●「脳にいいこと」7つの絶対ポイント

端的に言ってしまうと、「脳をいかに活性化させて、幸せになるか」を決めるのはたった「7つの要素」です。

1　ネガティブ思考の「大そうじ」をする。
2　プラス思考で、脳にポジティブな回路をつくる。
3　何事にも「愛情表現」を忘れない。
4　全身の細胞から健康になる。
5　瞑想などで脳を「人智を超えた大いなる力」につなげる。
6　目標をもち、脳に眠る才能を開拓する。

7　つき合う人を選んで、脳にいい刺激を与える。

たったこれだけです。

「何だ、当たり前のことじゃないか」と思われるかもしれません。

こんなアナログなやり方で、脳の回路を活性化させることができるのかと思われた方もいるかもしれません。

私自身は、もともと楽観的なほうではありませんでした。

どちらかというと物事を複雑にとらえ、先に挙げた7つのような「ポジティブな行為」には懐疑的でした。

そんな私と同じような方々にいいお知らせです。

たとえ最初は難しくても、この7つのことを脳に慣らしていきさえすれば、あなたの脳はやがて驚くような結果を生んでくれます。

まさに、**思ったことが次々実現し、想像だにしなかったような幸運が舞い込んでくる**のです。なぜなら、あなたの脳は「幸せをどんどん生み出す脳」に大変化を遂げたからにほかなりません。

「幸せを生み出す脳」は、あなたに一つの大きな「幸せの家」をつくります。

この「幸せの家」がしっかり建つことで、いったい何が起こるか——それはあなただけのお楽しみです。

本書に沿って、自分に合ったやり方で、できるところから始めてみてください。

では、なぜこのたった7つの「脳にいいこと」が、脳にこれほど大きな力を生み出すのか、そのしくみを少しご説明しましょう。

「楽観回路」は、誰もがもつパワフルなエンジン

最近、脳の「楽観回路」についての研究が進んでいます。

たとえば、人間の平均寿命は統計で決まっているのですが、いろいろな人に「あなたはあと何年生きられると思いますか」とアンケートをすると、だいたいは平均余命よりも長い年齢を答えるのです。

本当に皆がそれだけ生きたら平均寿命が急伸してしまうので、そんなはずはないのですが、皆何となく自分は平均よりも長く生きられるだろうと思っています。

また、自分が宝くじに当たる確率も、客観的な統計よりも高いと思い込んでいたりします。

だから、毎回「ハズレばかりでがっかり」の繰り返しなのに、またつい買ってしまって、

「もし二億円当たったらどうしよう」なんて妄想をしたりするのです。

さらにおもしろい質問があります。試しにお考えください。

「将来、あなたによいことと悪いことの両方が起こるとして、どちらがいつぐらいに起こると思いますか」と聞かれればどう答えますか。

たいていの人は、「よいことのほうが悪いことよりも先に起こり」、「よいことのほうが近い将来起こる」と想像しています。あなたの答えはいかがでしたか。

つまり、人間は「客観的な事実」より、「ちょっと楽観的に物事を見る」傾向があるのです。

これは**前頭葉を中心にした楽観的に物事を考える回路**があって、その働きによるもの。前頭葉の働きを高めて、この機能を活発にすることが「幸せをたくさん感じる」カギになります。

脳の中にはさまざまな「思い込み」が存在し、それによって行動が決定されますが、この「楽観回路」を利用すれば何事にもプラスの行動がとれるようになります。

つまり、人間はちょっと「図々しい」くらいがいいのです。「お前は悩みがなさそうでいいな」と、人に言われるくらいが最高なのです。

「幸せそう」「楽観的」という状態になって、やっと働く脳の回路があります。これは脳の

エンジンのようなもの。それがうまく回っていないと、脳にある他の回路も動いてくれません。

とにかく、どんな手を使ってでもいいから「楽観回路」「〃私は幸せ〃回路」を働かせることがポイントです。

何せ、この回路が元気できちんと機能していれば、人生すべてがうまくいくといっても過言ではないのですから。

たとえば、ディズニーランドやユニバーサル・スタジオを見てください。

どこも「幸せ」一色です。

「大の大人があんな人工の演出に喜んではしゃぐなんて、みっともない」とあなどるなかれ。あのテーマ・パークのもつプラスのパワーはすごいのです。

パークの中で「とてつもない幸せの洪水」を感じ、そこをあとにした誰もが「ああ、楽しかった」という顔になれる——まるで脳の「ＤＬ《ディズニーランド》効果」「ＵＳ《ユニバーサル・スタジオ》効果」とでも名づけたくなってしまうくらい、訪れた人全員に効き目があるのです。

ふだん難しい問題をたくさん抱えていても、こうやって自分を「幸せ一色」にして、自分の可能性を信じることが、人間の推進力になることは間違いありません。

この「喜び」が脳を成長させる！

思うままの人生を手に入れるためには「脳と人間関係」の関連性も忘れてはいけません。

たとえば、本文に出てくる「ミラー・ニューロン」。

これは「他人と自分の心を映し合う機能」をもった神経細胞です。この細胞の働きによって、人間の脳は他人の行動を自分のことのように知覚することができます。

たとえば、「アクビはうつる」といいますが、これも隣の人がアクビをしているのを見て、自分のミラー・ニューロンが働き、自分まで眠くなってくるのかもしれません。

あるいは、誰かのために何かをすることを「利他的な行動」といいますが、この「利他的な行動」が実は自分の喜びにつながる、という事実が脳の活動を見るとわかります。

ミラー・ニューロンが「他人が喜びを感じている」という状態を想像すると、それを自分の喜びとして映し出すのです。

どんな豪華な食事でも一人で食べるとわびしいもの。それより、質素な食事でも大切な人と一緒に、相手がおいしそうに食べているのを見ながら食べたいと思うでしょう。

あるいは、好き嫌いの多い人が「あれもダメ、これもダメ」とイヤな顔をして食べるのを見るより、何でもおいしそうに食べる人といたほうが、気持ちよく食事ができるものです。他人と分かち合うと喜びはより大きくなるし、喜びを感じたときは、人と一緒に喜びたくなるからです。

NHKの『のど自慢』の司会をずっと務めていた宮川泰夫アナウンサーにうかがった話があります。

舞台で歌って合格の鐘が鳴った瞬間に、宮川さんに抱きついてこられる方がとても多いそうなのです。『のど自慢』は倍率が五十倍といわれ、出演すること自体が大変なだけではなく、その中で合格するといったらものすごいこと。当人にとっては人生でもっとも幸せな瞬間かもしれません。

幸せな瞬間を迎えて誰かと分かち合いたくなり、周りを見渡すといつもテレビで見ている宮川さんがいる。そこで思わず抱きついてしまうのです。

抱きつかれた宮川さんも、合格者の気持ちをくんでちょっとジーンときたり、「よかったですね！」と一緒に喜んでしまう。

これはテレビの演出ではありません。ミラー・ニューロンのなせるわざといえるでしょう。

幸せな気持ちになったときに人に言いたくなったり、触れ合いたくなったりするミラー・ニューロンの効果をいつも誰かと共有でき、「分かち合い」を日々実感できているとしたら、いつも満ち足りた生活を送ることができます。家族も職場も友人関係ももっと素晴らしいものになるでしょう。

●「なぜかモテる人」の共通項

いい人間関係を引き寄せるために大切なことがあります。

それは、自分をよく見つめて、ありのままに受け入れること。

自分がどういう人間であるかを受け入れられる人は、必ず「なぜだかわからないけれど、いつも幸せ」になることができます。

そういう人は一生、絶対に孤独になりません。いつも周囲のサポートが得られて多くのことを達成でき、困ったときにも誰かがそばにいてくれたり、助け出してくれたりします。

男子学生たちに「必ずモテる方法があるぞ」と教えてあげることがあります。

「どんなに顔が悪くて、頭が悪くて、金がなくて、性格が悪くても絶対にモテる！　それは自分の弱点や欠点を人前でユーモアをもって語れる人間になることだ。そういう男は絶対に魅力的だ。お笑い芸人を見てみろ。〝こんなにブサイクなのに〟と思うようなヤツでもモテているだろう」

お笑い芸人たちは、自分の欠点や弱点を「ネタ」として提供します。

これは「自己卑下」や「謙遜《けんそん》」とも違います。

「どうせ、僕はお金ももっていないし、顔も頭もよくないし……」

と、グチを言う芸人はきっとウケないでしょう。

「僕はお金もないし、顔もブサイクで、アホだけれど、こんなにおもしろいヤツですよ！」

と言われると、なぜだかとてもユニークに映ります。

このように「自分の欠点を受け入れられる人」は、誰が見てもとても素敵です。それが**「人に好かれる人・人が周りに集まる人」の第一条件**ではないでしょうか。

たとえば、人と比べて、「自分はこんなにダメだ」「あいつはあんなにデキるのに」「どうせ私なんて」と、格差を気にしたり、人との比較に神経質になっていたりすると、自分にどんどん自信がなくなります。

ありのままの自分を受け入れて、それを少しユーモアのある態度で見ることができると、人との関係が驚くほどうまくいくようになるのです。

●成功者は「プラシーボ効果」を活用している

この本の効果を確実にし、人生を成功に導くためにも覚えておいていただきたい、もう一つの脳の働きがあります。それは、「プラシーボ効果」です。

病気の人に「これは薬ですよ」と言って砂糖のかたまりを与えると、本当に薬効があるということが昔から知られています。これを「プラシーボ効果」といいますが、脳は「これは薬だ」と思い込むと、それに対応した活動をするということが最近の研究で明らかになってきました。脳は常に身体とコミュニケーションをしているので、脳を通して身体も変化していくのです。

ですから、ある信念、世界観をもって実行していくと、もともとそれがどこから来たのかには関係なく、何らかの作用があるということ。

だから強い信念がある人というのは、とても強いのです。

私は仕事柄、さまざまな分野の第一人者にお話をうかがう機会がありますが、成功したビジネスパーソンは、明らかにそういう印象の人が多いことを感じます。

ポジティブさを失わずに、いろいろなことを楽しみ、結果としてビジネスでも大成功した、そういう人を何人も知っています。

私自身も、あちこち飛び回って忙しく働いていますが、よく人に「茂木さんはいいですね。あちこち旅ができて」とか「楽しそうな仕事をなさっていますね」と言われます。

部屋にこもって分厚い本とにらめっこしながら論文を書くなど、ほかにも「地味」な仕事をたくさんこなしているのですが、どうやら人から見ると「派手で楽しそう」らしいのです。

しかし、そう見られているのは、やはり「今、自分がしていることが好きで楽しい」からにほかなりません。

それは私の仕事が他のあらゆる職業と比較して、「相対的におもしろいから」ということではありません。

「その仕事が何であれ、今あるものを楽しめる自分をつくってきたから」です。

そんな私を見て、「茂木さんは、いつも楽しそうだなあ」と思ってくれる人がいることは、とても幸せなことです。こんな私の経験からしても、脳から生み出されるプラスのパワーが人生を切り拓《ひら》く力になることは間違いないと思います。

時には中島みゆきを聴きながら、一人酒を飲んでしみじみ泣くのも、それはそれで私は素敵だと思いますが、人生のほとんどの部分では、**もっとポジティブに楽しく生きられることをこの本が保証します。**

脳が「ダイナミックな変化」を起こす！

絶対に見逃してはならないポイントは「人は変わることができる」ということ。これは脳科学でも実証されています。

多くの日本人は「人は変わらない」という理論が好きです。たとえば、血液型で人を分類して「A型は結局こういう人」という運命論や宿命論で自分を決めつけるといった類《たぐい》です。あるいは、「日本人が英語をマスターするためには、〇歳までに始めないとダメ」とか「〇歳までにピアノを習っておかないと絶対音感は育たない」など、何事においても「限界説」が幅を利かせています。

しかし、脳科学から見ると「人は変わることができる」ということこそ事実です。この事実を活かすことで**脳は感情や記憶の中心となる回路をつくり変え、身体全体にダイナミックな変化が起こる**のです。

「自分はこのままだ」と思うことは、あなたとあなたの脳を息苦しくします。

「私はなりたい自分になれる」と信じること、希望をもつことこそが、あなたのこれからの道を大きく拓きます。

この本は、読めばちょっとした驚きの連続かもしれません。

「こんなに楽観的でいいのかな」と周囲に思われるかもしれませんが、それでいいのです。そんなあなたが、結局一番おもしろい人生を歩んでいけるのです。

芋虫が蝶になるような変容をする――その変化を自分にも起こすことからすべては始まります。

あなたもこの本の「素晴らしい幸運をつかむ力」を活かしてください。

もくじ

2

簡単で効果抜群の脳の「大そうじ」！

――ワンパターンの脳から、いつも「刺激的」な脳へ

3

脳に「ポジティブな回路」をつくる法
——毎日、脳に「毒」を与えている人、「良薬」を飲ませている人

4 「脳が一番喜ぶこと」を毎日する

――こんな簡単なことに、なぜ気づかなかったのか！

5

食事・運動・生活……

脳細胞が元気なら、何でも思い通りに！

――タフな脳にする「夜十時ルール」

6

夢を楽々実現する、ハイパーエネルギーの秘密！

――わけもなく楽しく、ハッピーな日々をつくり出す脳の力《パワー》

7

眠っている才能を目覚めさせる脳の刺激法

――あなたの脳の得意技を探す「ミニ・パッションテスト」

8

こんな人とつき合えば、脳はいい刺激を受ける

——「アクビがうつる」ように、人の脳のレベルも伝染する

本文イラスト●石玉サコ

1

「脳の使い方がうまい人」には7つの特徴があった！

——日常生活で、仕事で、勉強するとき……
脳のすごい力を引き出す方法

✷「ヒマラヤの村人」にあって、私たちにないもの

以前、著者の私はヒマラヤの山奥で二週間暮らすという経験をしたことがあります。村の人々とともに、子どもたちの世話、食事の支度、医療活動の手伝いをし、彼らと同じように地面で眠り、川で身体を洗い、しぼりたての牛乳を飲むような生活です。

村には電気もなければ水道もなく、便利なものや贅沢《ぜいたく》なものは何ひとつありません。そこにあるのは生きていくために必要最低限のものだけでしたが、人々はいつも明るく、幸せで、ユーモアにあふれ、私たち訪問者にもとても優しいのです。

「彼らは質素な暮らしをしているから幸福だ」というわけではないでしょう。世界には、貧しさゆえに幸せとはほど遠い暮らしをしている人が大勢います。

その一方で、多くの贅沢品に囲まれて暮らし、幸せでたまらないという人もいます。また、「幸せはお金では買えない」という言葉を体現しているような不遇の大富豪たちもいます。

私はかねがね、幸せとは「欲しいものをすべて手に入れること」ではないけれど、かといって「モノに対する欲望をことごとく否定」すれば得られるわけでもないと思ってきました。

ではいったい「本当の幸せ」とはどこから生まれるのでしょうか。

私が「人の心」に興味をもち始めてから三十五年、それが高じて今では「なりたいように自分を変える方法を教えるコーチ」という職業にまでなってしまいました。

あらゆる自己啓発セミナーに参加し、何年もかけて成功法則を学び、その法則を人に教えてもきました。

私の書いた本はニューヨークタイムズ紙でベストセラーリストの第一位となり、講演家としても称賛を得て、何百万もの人々の人生に影響を与えてきたと自負しています。

しかし、こうした成功体験をたくさん経たものの、それでもなぜか心から「ああ、満足」とは言えない自分がいました。私が望んだ幸せは、名誉や肩書きからはもたらされなかったのです。

「成功したくせに、何を贅沢なことを……」と言われるかもしれません。

しかし、周りを見回してみると、社会的な成功や知名度にかかわらず、本当に幸せな人たちは既婚者であったり未婚者であったり、金持ちであったり一文無しであったり、時には死と隣り合わせであったり、その環境はさまざまなのです。

逆に、お金持ちや有名人であっても、素敵なパートナーやかわいい子どもたちがいても、いつも不幸そうな顔をしている人々をたくさん見てきました。

お金さえあれば、いい仕事に就くことができれば、素晴らしい家族をもてば、幸せになれるはずだと思っていたのに……。

いったいぜんたい「幸せの絶対条件」とはどこにあるのでしょうか。人は実際に社会的に恵まれていなくても幸せになれるのではないでしょうか。

一方で私は、なぜ成功を収めたにもかかわらず「自分は幸せではない」と思ってしまうのだろうかと、考えるようになっていったのです。

そしてどうやらその答えは、私たちの「脳と心」にあるようです。

脳の中には〝幸せ度〟の目盛りがある

あなたは、どのような要素が人生を充実したものにするかを研究する、**「ポジティブ心理学」**という新しい学問分野をご存じでしょうか。

「ポジティブ心理学」は、非常に重要な真実を私たちに教えてくれます。

それは、**それぞれの脳の中に設定された「幸せ度」がある**ということ。

この「幸せ度」というのは、特に「ものすごくラッキー」なことや、不運な出来事が起こったときなどに多少数値が上下することはありますが、その人がだいたい日常的に感じている「幸せのレベル」のことです。

どんなときでも幸せだと言える楽観的な人もいれば、どう努力しても幸せを感じられない悲観的な人もいるものですが、この不思議な違いをもたらすものが、この個人の「幸せ度」です。

冒頭で述べたヒマラヤの村人たちはこの「幸せ度」が高いと言えますが、たくさんお金があっても、豪華な家に住んでいても「いつもなぜか満たされない」お金持ちはおそらく「幸せ度」が低いのだと思われます。

研究によれば、人生に何が起ころうと、人は「一定の幸せ度」を維持しようとします。その人のだいたいの平均体重と同じで、**幸せ度は「意識的に変えようとしなければ」いつまでも同じ値に留まります。**

宝くじに当たった人を追跡調査した有名な研究があります。

宝くじを幸福への切符だと考えている人は非常に多いのですが、実際にくじに当たった幸運な人々は、いったん幸せ度を上げても、一年以内に元の値に下がっていました。つまり「当たったときの感動と幸福感」を完全に忘れているのです。

同じ結果が、下半身麻痺になった人々にも見られました。

最初は悲嘆に暮れていったん下がった幸せ度は、その後一年経つうちに、しだいに足が動かなくなる前の幸せ度まで再び上昇したのです。

何を経験しようと――よい経験であれ悪い経験であれ――人はそれぞれ設定された幸せ度に戻ってきます。調査によれば例外は3つしかありません。

①配偶者を失った場合（安定値に戻るのに時間がかかる）、②慢性的な失業状態にある場合、そして、③極度の貧困状態にある場合です。

では、幸せ度の数値が個人によって決まっているならば、「これから何をしたって同じではないか」と思われるかもしれません。

✷ 幸運をつかむ人、つかみ損《そこ》ねる人の差

ミネソタ大学のデヴィッド・リッケンは、この「幸せ度」が生まれつき決まっているのか、それとも育った環境によって違ってくるのだろうか、と疑問に思いました。

それを解明するために、リッケンのチームはある調査を開始しました。別々の環境で育った一卵性を含む何千組もの双子を追跡したのです。

その結果、幸せ度を左右するのは「五〇パーセントが後天的な要素」であるらしいことがわかりました。

その結論が正しいと仮定するならば、いつも明るく暮らしている人も、常に暗く沈んでいる人も、人生のかなりの部分を経験によって変えられることになります。

さて、この「変えられる」要素に注目してほしいのです。

「財産」や「夫婦関係」や「仕事」といった環境要因は、幸せ度にたった一〇パーセントしか影響を与えず、あとの四〇パーセントは、習慣的な考え方や気持ち、使う言葉や行動によって決まるということがわかってきました。

つまりこの四〇パーセントを変え、高めていくことによって、脳が生み出す「幸せ度」をコントロールすることができるのです！

これは言ってみればヒーターの自動温度調節装置に似ているかもしれません。

設定温度を変えるようにその度合いを変えることができ、たとえ恵まれた環境に生まれなかったとしても、あとからその設定値を変えれば、どんどん幸せになれるのです。

✴ 同じことを繰り返すと「脳の神経回路」は固定化されてしまう

「幸せ度」が高い人々というのは、特別な力をもっているわけでもないごく普通の人々ですが、他の人々とは違った習慣を身につけています。

心理学によれば、**人間の行動の少なくとも九〇パーセントは習慣によるもの**だといいます。

つまり、今よりもっと満たされるには、自分の「習慣」に目を向けなければならないのです。

幸福に関する本の中には「ただ幸せになろうと心に決めるだけで幸せになれる」と説いているものがありますが、「引き締まった身体になりたい」とか、「有名なピアニストになろう」といくら心に決めたところで、それだけで望みがかなうはずはないのと一緒です。

私たちの脳の中の神経回路は、レコードの溝と同じように過去の習慣的な考え方や行動パターンによってつくられています。

同じ考え方や行動を何度も繰り返しているうちに、轍《わだち》がしだいに道になっていくように神経回路がしっかりとでき上がっていくのです。

脳の神経回路が今どうなっているかを確かめて、まずは幸せ度を高めるような、新しい溝をつくっていくべきでしょう。

かつては「脳の神経回路は大人になれば固定されてしまう」と考えられていましたが、今ではうれしい新事実が明らかになっています。

「脳は大人になってからも柔軟で、私たちが考え方や感じ方や行動パターンを変えれば、脳はそれに応じて自ら溝を変えていく」というのです。

つまり、たとえネガティブな神経回路をもっていても、今から変えることができるという

「脳の使い方」を変えると何が起きるか

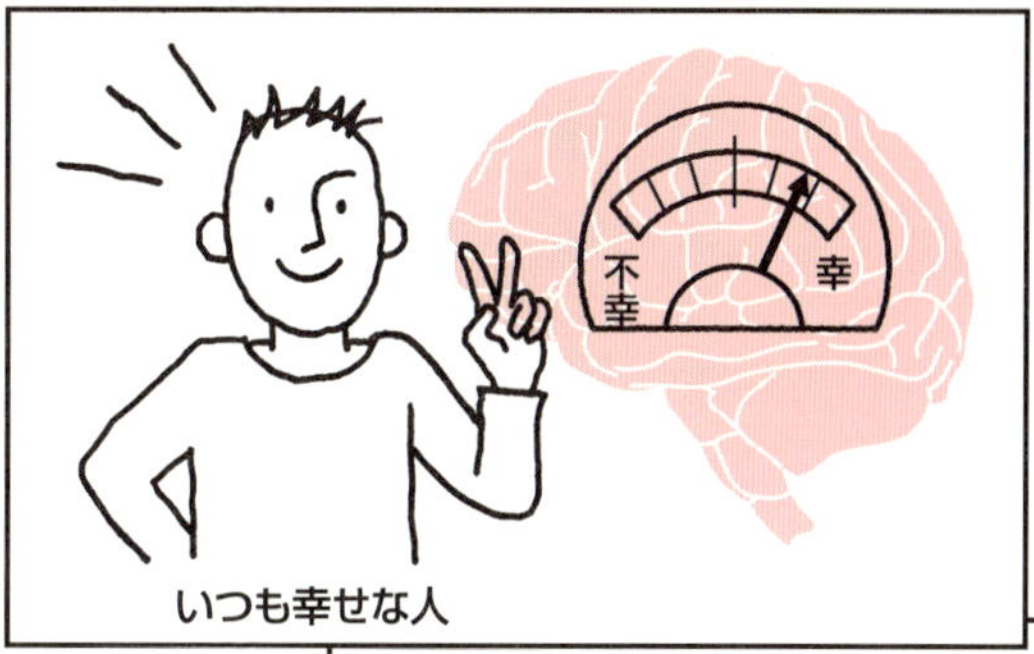

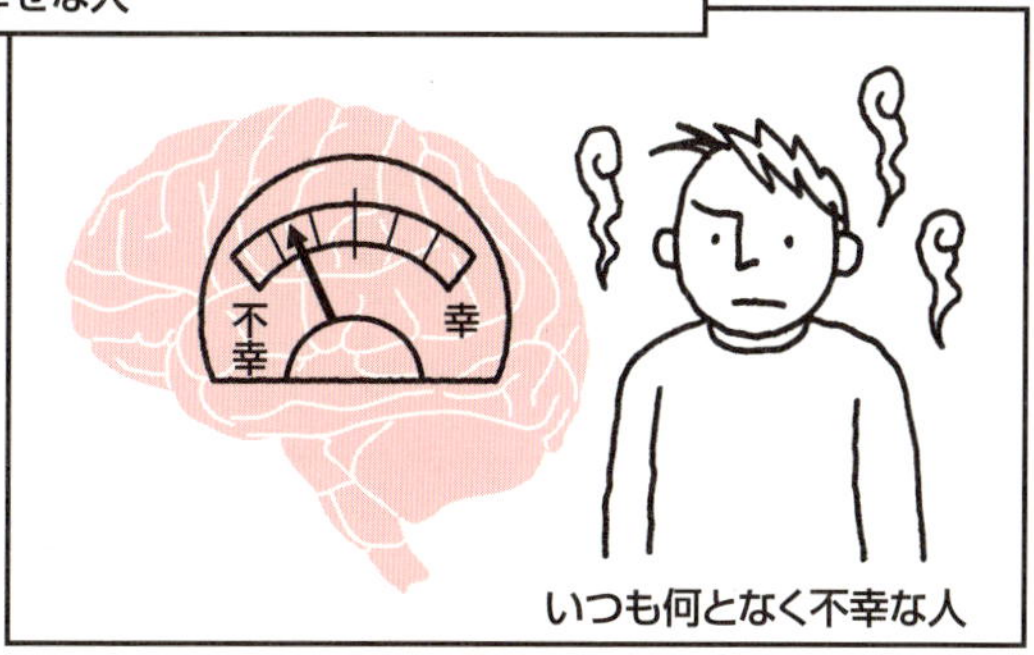

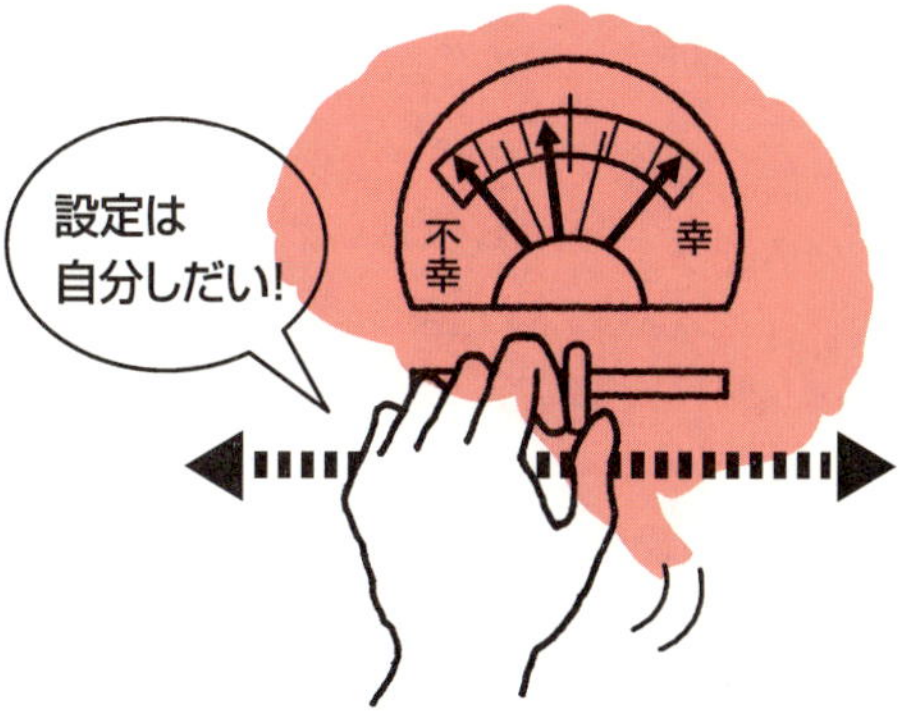

脳の中にある「幸せ度」はいつでも変えられる!

こと。

脳研究の第一人者リチャード・デヴィッドソンは、

「脳の柔軟性を考えれば、幸福感や思いやりの気持ちを高めるのは、楽器やスポーツを習うのと何ら変わりません。脳を鍛えて幸せになることは可能です」

と言います。

チベットのダライ・ラマ十四世は著書の中で、幸福感を生む習慣とそうでない習慣とを区別することが重要だと説いています。

「まず何が幸福へと導き、何が不幸へと導くのかを知りましょう。そして不幸へ導く要素を徐々に消していき、幸福へ導く要素を養っていく。それが幸福への道です」

では、「幸福への要素」を知って、脳にあるプラスの神経回路を育てるために私たちができることは何でしょう。

成功するためには成功者の話を聞くことが大切なように、幸せになるには幸せな人々の話を聞くのがよいのは言うまでもありません。

粘り強く探し続けたおかげで、私は最終的に百人の「とても幸せ」な人々に話を聞くことができました。この本では、彼らのことを「幸せの国の百人」と呼びます。

「幸せの国の百人」は、性別も、年齢も、育った環境も社会的地位もいろいろです。

彼らへの取材でわかったことは、**幸せな人は不幸な人とはまったく違った生き方をしていて、7つの「脳にいいこと」を実践している**ということ。

これは誰にでも実行することができ、脳の思考回路を変えていき、身体全体に及ぼす効果が高いので、あなたも真似してみてください。

この本は、特に恵まれた環境にいなくても、自分は幸せだなあと心から感じ、さらなる幸運をつかんでいくことを目的とし、今までにないアプローチを示していきます。

✴ 家を一軒建てるのと、脳をよくする手順は同じ

「脳にいいこと」は大きく7つに分けられ、家づくりの工程にたとえることができます。これらをしっかり築けば、脳と身体が上手に機能し、最後に大きな「幸せの家」が完成します。

1　ネガティブ思考の「大そうじ」をする。

2　プラス思考で、脳にポジティブな回路をつくる。

3　何事にも「愛情表現」を忘れない。

4　全身の細胞から健康になる。
5　瞑想などで脳を「人智を超えた大いなる力」につなげる。
6　目標をもち、脳に眠る才能を開拓する。
7　つき合う人を選んで、脳にいい刺激を与える。

何を手に入れても幸せになれなかった私が、この本で紹介する7つの「脳にいいこと」を実践して、「幸せ度」を上げることができました。私にできたことは、絶対にあなたにもできます。

以前、成功法則についてのセミナーで、受講者に「なりたいもの／やりたいこと／手に入れたいこと100」を書き出してもらったことがあります。

タヒチでスキューバをしたい、ベンツを買いたい、世界一周旅行をしたい、世界から飢えをなくしたい、戦争のない平和な世の中にしたい……。

意外だったのは、このリストに「幸せになりたい」と書いた人が数人しかいなかったことでした。なるほど、どの夢も実現すれば素晴らしいとは思いますが、最終ゴールではないはずです。人々の究極の目的は、〝幸せになること〟なのに……。

私たちの生活は物質的に豊かになりましたが、それで皆がより幸せになったかといえば、

「脳にいいこと」を続けると……

脳と身体が上手に機能すれば
あなたの中に揺るぎない「幸せの家」が建つ

そうではないようです。

それどころか、モノやテクノロジーが増えるにつれて、幸せを感じることが難しくなっているようにさえ思われます。

どうやらこれは、財産の増やし方や成功の仕方、上手な人間関係の築き方とはあまり関係がないようなのです。

✴脳をよくする「4つの幸せのレベル」

実は単に「幸・不幸」といっても、そこには4つの種類があることにお気づきでしょうか。

左ページにある図を見てください。

ほとんどの人が、幸せとは「できるだけ多くの楽しい経験を集めれば得られる」と考えていますが、どんなに楽しい経験を集めようと、それらを支える根っこがしっかりしていなければいい幸せはつくれません。

私たちの内側にある幸福感がその根っこであって、それこそが人生の成功をもたらすのです。

では、何が私たちの根っこを枯らし、「不幸」に陥れるのでしょうか。

あなたの脳はどの「幸せレベル」にあるか

特に恵まれていなくても、なぜか幸せ

「本当の幸せ」。外的な要因にかかわらず、常に揺るぎない充足と喜び、心の平安を感じる。
このとき、**人は外から喜びを得るよりも、自分の幸福感を外へ表したくなる。**

経済力や環境に左右される幸せ

お金や仕事、人間関係など、何かがうまくいったとき、何かを上手にできたときなどに得られる喜び。

ただし、この幸せは、**外側にある要因によってもたらされ、もしもそれが変化するか、なくなればしぼんでしまう。**

幸せレベルがアップ!!

つかのまの幸せ

アルコール、セックス依存、ギャンブル、過食など、いわゆる「つかのまの快楽」。

不幸

人生そのものに不快感を覚える状態。怒りや疲労、憂うつなどを感じているとき。ただし、治療が必要な抑うつなどはこの範囲ではない。

それは、もしかしたらあなたが、広く社会にはびこっている2つの神話を信じているせいかもしれません。

一つは「〝もっと〟神話」、もう一つは「〝いつか〟神話」といいます。

✷「もっともっと！」という人ほど、なぜ満たされないのか

世の中のほとんどの人は「もっと神話」にだまされていて、「もっと幸せになるためには、もっと多くを手に入れなければならない」とかたくなに信じているようです。

しかし、それは大間違いです。

● アメリカ人の個人所得はこの五十年間に二・五倍になりましたが、人々の幸福感は五十年前と変わりません。

● 経済雑誌『フォーブス』で高所得者リストに挙げられた人の四〇パーセントが、平均的なアメリカ人より幸福感が低いのです。

● 超貧困環境にいる人々を除けば、「それ以上収入が増えれば、幸福感も同じように増す」ということはありません。

明白なのは、「幸せな人々」＝「経済的に裕福な人々」ではないということ。仮にそうなら、今頃ハリウッドの高級住宅地は幸せな人だらけでしょう。

最近の調査によれば、すべての所得層においてほとんどの人が、「今より収入が増えればもっと幸せになれるはず」と考えているのです。

世界初の億万長者J・ポール・ゲティは、「あなたは世界一の大富豪になったわけですが、どこまで行ったら十分だと思いますか」と記者に尋ねられ、しばらく考えてから、

「少なくとも今はまだ十分ではないですね」

と、答えたといいます！

何かを手に入れたいという欲望は、それが実現しても本当の喜びをもたらしてはくれないばかりか、さらに別の欲望を喚起するだけ。

ではなぜ人々は、この「もっと神話」から逃れられないのでしょうか。

それは、広告業界がそう仕向けているからです。

広告業界は「もっと神話」を永続させ、経済をさらに動かすために、毎年莫大な額の費用を投じているのです。

「今のあなたの人生は十分とはいえません。もっと○○が必要です」という具合です。

私はある夜テレビを観ながら、その種のメッセージが何度送られてくるか数えてみたこと

があります。

そうしたら、たった三時間の間に六十八回もあったのです！

「あなたにぴったりの車がありますよ」

「もっと素敵な暮らし方をしてみませんか」

「三十歳を過ぎたら、スキンケアセットを変えましょう」

もっともっと、いくらでも私には必要なものがあるというのです。

「私はコマーシャルなんて信じないし、だまされたりしない」という人も、間違いなくコマーシャルの影響を受けています。

繰り返されるメッセージは徐々にあなたの脳に入り込み、意識しないうちに〝あなた自身の考え〟になってしまうからです。

効き目があるからこそ、広告業界はあれだけの費用を使って、何度も宣伝をするのです。

さらに、「もっと神話」とともに信じられているのが「いつか神話」でしょう。

こんな考えが頭をよぎったことはありませんか。

● いつか素晴らしいパートナーにめぐり逢えたら、幸せになれるはず。

- いつかもっといい仕事に就けたら、幸せになれるはず。
- いつかもっと周りに認められたら、幸せになれるはず。
- いつか○キロやせることができたら、幸せになれるはず。

厳しいことですが、これらがいくつ実現しようと本当の幸せはやってこないばかりか、せいぜい束の間の喜びを味わうか、期待はずれでがっかりするかのどちらかです。

試しに、自分がこれまでに達成してきたことを5つ思い出してみてください。**それらはあなたにどれほどの幸せをもたらしましたか。その幸せはどれくらい長続きしましたか。**

おそらくそれほど長くは続かなかったはずなのに、さらに目標を立て「もう少しがんばってこれを乗り越えたら幸せになれる」と自分に言い聞かせて、努力を重ねてきたに違いありません。

幸せはいつも「ちょっと未来」にあって、けっしてつかまえられないもの。

「幸せを感じられるのは、今この瞬間でしかない」という事実に気づいてほしいのです。

ハーバード大学の心理学教授ダニエル・ギルバートは、著書『幸せはいつもちょっと先にある』（早川書房）で、この「〝いつか〟神話」を信じることがいかに無意味であるかを説いています。

ギルバートによれば、私たち人間は将来の幸せを予想するのが得意ではなく、欲しいものを手に入れた後の幸せを常に過大評価している、といいます。

どこの国へ旅行に行ったら、この昇進を勝ちとったら、あの人と仲よくなれたならどんなに素敵だろうと想像していても、いざそれらが実現してみれば想像していたほどでもなかった、と思ってしまうのです。

恐ろしいことにそんな経験を何度もするうちに、新たな夢が実現してもそれほどうれしいと思わなくなってしまいます。幸せを約束してくれるはずだったものが、何の喜びももたらさなくなってしまう——。

本当の幸せは、「もっと」素晴らしいものによって、「いつか」もたらされるというものではありません。脳が幸せを感じられるのは〝今〟だけなのです。

✴ まるでカーナビのようにあなたを導く「脳の力」

「幸せの国の百人」にインタビューした結果、彼らに共通する、あるはっきりとしたパターンが見えてきました。

皆何らかの方法で「もっと神話」と「いつか神話」を払しょくし、シンプルな法則性に従って生きています。
この本にある7つの「脳にいいこと」を実践するときに法則の流れに乗れば、より効果的です。

① あなたを広げていくものが、あなたを幸せにしてくれます（拡大の法則）。
② 宇宙はあなたを支えています（支援の法則）。
③ あなたが価値を認めるものが、あなたの周りに増えていきます（引き寄せの法則）。

● 拡大の法則――脳にある〝エネルギーGPS〟の感度を上げましょう

「あなたも含め、宇宙にあるものすべてはエネルギーでできている」ということが科学的に証明されています。

思考や言動、周りのすべての物事は、あなたのエネルギーを拡大させるか縮小させるかのどちらかに働いていて、エネルギーが拡大すると、あなたはより幸せになることができ、エネルギーが縮小すると、それだけ幸福感は減少します。

そして、「チャンスをつかんで幸せになれる人」は、いつもエネルギーを拡大するような考え方や感情、行動を選んでいるのです。

いったい人のエネルギーの「拡大」と「縮小」とは、どういうことでしょうか。

ここで自分がもっているエネルギーを今すぐ感じてみる、簡単な方法をご紹介しましょう。背筋を伸ばして座り、胸を張り、腕を広げて、大きく深呼吸をしてみてください。笑顔をつくって、目を閉じます。さて、どんなことを感じますか。

・自由
・解放感
・喜び
・明るさと広がり

――などではないでしょうか。これが「エネルギーの拡大」です。

愛する人や尊敬する人、一緒にいられるとうれしい人のことを想像してみると、やはり明るさや広がりを感じると思いますが、こういった幸せを思うとき、人の身体のエネルギーはいつも「拡大」の状態にあるのです。

ちなみに、科学的に「幸せ度」を測定するときは、この「拡大の程度」を見ます。

幸せだと認められる人は、酸素吸収量の増加、血管の拡張、筋肉の弛緩《しかん》、心拍数の安定、脳機能の統合性の高まりといったエネルギーの数値が高い人なのです。

さて、今度は背中を丸めて座り、手をぎゅっと握りしめ、呼吸を荒くし、眉間にしわを寄せてみてください。何を感じるでしょうか。
・不安
・緊張
・焦り
・プレッシャー
――などでしょう。これが「エネルギーの縮小」と呼ばれる状態です。
すべてのネガティブな感情――怒り、恐怖、悲しみ、嫉妬《しっと》――は、エネルギーの流れを阻害します。筋肉がこわばり、呼吸は浅くなり、循環機能の活動が妨げられ、科学的に測定すれば、ストレスホルモンも増えていることが見てとれるでしょう。エネルギーが縮小すると、免疫システムが破壊されるので、病気に感染するリスクも高くなります。

では、この「拡大」と「縮小」を脳の中でどう感じればよいのでしょうか。

自分の頭の中にある感覚――〝エネルギーGPS〟――をフル活用してください。

車のカーナビに搭載されているGPS（全地球測位システム）は、今どこにいようと目的地への道を教えてくれるしくみですが、実はこのGPSのようなシステムが私たちの内側にも存在して、エネルギーの「拡大」や「縮小」を教えてくれているのです。

エネルギーの拡大を感じれば、あなたの進んでいる方向が正しいということであり、エネルギーの縮小を感じれば、目的地までの道を修正する必要があるということ。

たとえば何かの選択を迫られたとき、立ち止まって大きく息を吸い、どちらの選択肢がより頭の中で明るさや広がりを感じさせてくれるかを考えます。レストランでメインの料理を選ぶときも、仕事を引き受けるかどうかを決めるときも、自分の内側の声を聞いてください。

エネルギーの拡大を感じる選択をしたときは、なぜかいつもすべてがうまくいくのです。

●支援の法則——すべての世界はあなたに優しくできています

かつてアインシュタインは、人が自分に問うことのできる最高の問いかけは「この宇宙は、はたして優しい場所だろうか」であると言いました。

「幸せの国の百人」は、宇宙は自分を支えてくれている味方だと信じているので、この質問には即座に「もちろん、そうです！」と答え、困難にぶつかっても「なぜ私だけがこんな目に遭うのだろう。不公平だ」などと不平はもらしません。

その困難も「自分に必要だから起こったのだ」と考えます。何があっても「これはきっと最終的に私のためになる。人生に〝間違い〟などという言葉はないのだ。必ずここから何かいいことを学べるはず」と思うのです。

誰もがそう思うことによって、「幸せ度」を上げることができます。

この法則が正しいかどうか疑ってかかる前に、とにかく二週間、「宇宙は自分に優しい」と考えて過ごしてみてください。

悲しいことやつらいことがあっても――たとえ大失恋しても――「宇宙はいつも私の味方、これにはきっと大きな意図がある」と考えて乗り越えるのです。

人生や世の中の出来事に対して受け身になろうというのではなく、〝すでに起こってしまったこと〟を嘆いたり変えようとしたりしないということ。

多くの人がこの「ムダなあがき」に膨大なエネルギーを使っていますが、起こったことに動揺したり抵抗したりするのはもうやめて、「人生に間違いなどない」と考え、〝今〟できることにエネルギーを注ぐのです。

「宇宙はいつも自分を支え、成長させてくれている」――そう信じることが、自分と脳を成長させるカギなのです。

● 引き寄せの法則――今ある「豊かさ」を認めれば、もっと豊かになれます

この法則をわかりやすく言えば、「好きになったものが自分の周りに集まってくる」ということ。

何かを好きだと考えたり感じたりすれば、それはまるで磁石に引きつけられるように自分に引き寄せられてきます。

それはまるでスポンジのよう。今の幸せを大切に思えば、それはどんどん次なる幸せを吸収して膨らんでいくのです。

この法則を聞きかじった人の多くが、理想の家や車など、まず自分を幸せにしてくれそうな「モノ」を引き寄せようとしますが、それは本末転倒です。

この法則の基本は〝幸せであることが、望むものを引き寄せる〟ということです。まずあなたが「今、幸せだ」と思うことが前提なのです。

その幸せのエネルギーが強力な振動をつくり、欲しいものを引き寄せていきます。

それはいったいどういうことでしょうか。

たとえば「お金がない」から「お金が欲しい」と思うと、絶対にお金は貯まりません。

「つまらない人生だ」から「もっと幸せになりたい」と思うと、いつまでたっても人生は好転しないのです。

「愛されていない」から「愛されたい」と思うと、いつまでもその愛は手に入りません。

「欠けているもの」や「足りないもの」に目を向けないでください。

悲しいときや満たされないときにでも、ひたすら感謝の種を探し、どんなに小さな進歩でもそれを喜ぶようにするとすごいことが起こります。

「私って恵まれているなあ」「私って幸せだなあ」と思っていると、次から次へと幸せがやってきます。人生を大きく変えることができ、「わけもなく幸せ」な日々を引き寄せることができるのです。

「引き寄せの法則」を使いたいとき、私がいつも心の中で唱える言葉があります。それは「目標・注目・リラックス」です。

・目標——今よりもっと幸せになることを目指しましょう。
・注目——「幸せ」に注目しましょう。日々幸せの習慣を実践しましょう。
・リラックス——肩の力を抜いて、成果を待ちましょう。

「今、あなたの幸せ度」をチェック

今の「あなたの幸せ度」を知っていただくために、簡単なチェックリストを用意しました。このチェックリストは「特に恵まれていなくても、なぜか幸せ」の度合いを調べるためのものです。

自分の大まかな傾向として、p.51のリストにある項目がどれほど当てはまるか、それぞれ

1～5で点数をつけ、その合計点を出してみてください。

今のレベル評価より、もっと高いレベルへ上がることはいつでもできます。大切なのは「スタート地点の状況」ではなく、「スタートを切ること」。

この本で「脳にいいこと」を知って実践したら、もう一度このリストに戻って変化を見てみましょう。定期的にチェックすることで、幸せ度はどんどん高まっていくことでしょう。

何でも「画像化」すれば、脳はおもしろがって動き出す

自分を変えるには、まず具体的にどのようになりたいか、目標をしっかりともつことです。

つまり、自分の脳に「幸せな状態」をすり込むのです。

「私は～できて幸せです」の形で、幸せを感じられる状態を明記してみるといいでしょう。

また、「～になりたい」ではなく「～である」というふうに現在形の言い切りで書くようにすると、強さとダイレクトさが出て、自分の欲しいものを確実に手にできます。

「私は」で始めるのは、「私」という言葉に、目標を実現するための力があるから。

「私は、心の穏やかさを深く感じることができて幸せです」といった具合に、あたかも今、心から満足しているかのように書きます。

あなたの脳は、今「幸せ」ですか？

次の項目それぞれで、自分に当てはまる点数をつけ、合計します。
あなたは何点でしょうか。

1＝まったく違う
2＝わずかに当てはまる
3＝ある程度当てはまる
4＝ほとんど当てはまる
5＝完全に当てはまる

□ 人のいいところを探すのが得意
□ 心の奥に穏やかな満足感がある
□ ネガティブな考えにとらわれない
□ どんな経験からも学ぼうとしている
□ 自分には大きな力が働いていると思う
□ 自分の変えられることは変え、変えられないことは受け入れている
□ 生きがいがある
□ なぜかいつも幸せだ
□ 一瞬一瞬を大切にしている
□ 自分には生命力がある
□ 人生は大きな冒険だ
□ あまりくよくよしない
□ 何事にも熱中できる
□ 1日1回は楽しい気分になる
□ 世の中は自分に優しい
□ 人を大目に見るのが得意
□ 自分自身に愛を感じる
□ 温かい人々に囲まれている
□ 何でも人のせいにしない
□ 何事にもいつも感謝している

あなたの合計点数＿＿＿＿＿＿＿＿

今のあなたの脳の幸せ度は…

①80～100点……ほとんどいつも幸せ！
②60～79点……かなり幸せ
③40～59点……ときどきしか幸せになれない
④40点以下……幸せ度はとても低い

次に、目標を達成したハッピーな自分を想像し、その揺るぎない心の安らかさを実感しているとき、人生はどんなものになるだろうと考えてみます。

「特別な理由もないのになぜだか幸せ」な状態を具体的にイメージできれば、楽にそれを実現することができますし、理想像をイメージするだけで脳に「幸せの回路」がつくられます。

さらにそのイメージを心に刻むために、「ビジョンボード」をつくってみましょう。

ビジョンボードとは、人生で成し遂げたいことを視覚化したもののことで、幸せをイメージできるものを用意し、コルクボードなどに貼ります。

美しい風景写真でもいいし、誰かが笑ったり踊ったりしている絵でもよいでしょう。愛する人や尊敬する人と一緒に写っている自分の写真も効果があります。

とにかく**エネルギーの拡大を感じさせてくれるもの、開放感や軽さを感じさせてくれるものを絶えず目にする場所に掲げ、先ほど書き出した目標を書き添えておくのです。**

そして、自分があたかもその絵や写真の中にいるかのような想像をします。

さあ、これであなたは実際に「脳にいいこと」を実践する準備ができたと思います。

2

簡単で効果抜群の脳の「大そうじ」!

——ワンパターンの脳から、いつも「刺激的」な脳へ

✴ 何をやっても「好スタート」が切れる人の秘訣《ひけつ》

建築の専門家でなくても、家づくりの最初の重要な工程が土台づくりであることは誰もが知っています。土台がしっかりしていなければ、頑丈な家はつくれません。

「幸せの家」も同じく、基礎から始めなければなりません。

「自分の幸せは自分で築く」という前向きな気持ちをもつと、それが幸せの家の土台になります。

まずは「自分は幸せになれる」と固く信じること、そして脳の「楽観回路」を阻んでいる習慣を見極めて、それを大そうじする必要があります。

「幸せの国の百人」とのインタビューからわかったのは、彼らは誰ひとりとして、**状況が好転するのをただ待っていたり、幸運が飛び込んでくるのを期待して、行動するのを後回しにしたりはしません。**

また、過去に縛られて「生まれが悪いから」とか「あんなことがあったから」とあきらめたりもしていません。**過去や現在の状況に捕らわれず、未来に目を向けて、積極的に生きている**のです。

以前出版された『国際行動医学ジャーナル』には、この〝幸せになれるかどうかは自分次第〟という考え方に関して注目すべき報告がなされています。

マイアミ大学教授のゲイル・イロンソンによれば、HIV感染者のうち楽観的な傾向がある人々は、病気と積極的に向き合った結果、その進行を遅らせることができたといいます。

プラス思考のいいところは、それだけではありません。幸せになれるかどうかは「自分次第」と考えて、積極的に人生のかじとりをすれば、スタート地点の状況に関係なくどこへでも進んでいけるのです。

「引き寄せの法則」に基づけば、幸せになるのも不幸せになるのもすべて自分次第なのです。

プラス思考の基礎をつくるために、次の2つのことを心がけてください。

① 幸せになれるかどうかは自分次第と考えましょう。

人は誰もが幸せになる能力をもっています。あとはその能力を使うかどうかの問題です。

② 自分の人生に責任をもちましょう。

人生のあらゆる出来事に、幸せになれるよう対応をすることです。これは次の項で説明します。

この本を読んでいるあなたには、この2つの材料がかなり揃っていると思います。

実際「〝幸福〟を意識するだけで、それまでより幸せになることができる」という実験結果があります。

心理学者マイケル・フォーダイスによると、「幸せな人々の習慣」について研究している学生たちは、その研究を始めただけで、幸福感や充実感が大きく向上したそうです。

一方で、「高い幸福感を得るにはある程度の時間が必要」と、心理学者のソーニャ・リボマースキーは言います。「幸せ度」を高めるためにはダイエットやエクササイズと同じで、一日や二日ではなく、とにかくある程度継続させることがポイントなのです。

✷ 渋滞に巻き込まれたとき、あなたならどうする？

幸福感というのは、「人生の出来事にどう対応するか」によって大きく左右されます。

「幸せの国の百人」の考え方・生き方は、あらゆる出来事に対して、心が落ち着くような対応を自分で責任をもって選んでいるのです。

作家のジャック・キャンフィールドは、次のようなシンプルな公式を唱えています。


「出来事　＋　あなたの対応　＝　もたらされる結果」

本当に幸せな人々は人生に何が起ころうと、可能なかぎり自分がかじをとろうとします。身の回りの出来事を変えられなければ、自分の〝対応を変えればいい〟のです。

たとえば交通渋滞に巻き込まれたとき。

車の中で顔をしかめたり、他の車に向かって怒鳴ったり、ハンドルを握りつぶさんばかりにしているドライバーがいる一方で、音楽に合わせてシートの中で身体を揺らし、楽しそうに歌っている人もいるでしょう。同じ状況にあっても、対応ひとつで不快にも愉快にもなるのです。

一つひとつの出来事に、落ち着いて対応をしようと心がけていれば、それがいつか脳内に定着し、いつでも穏やかでいられるようになります。

✴こんなことで脳に「時間」を浪費させてはいけない

人生の出来事に「被害者としての対応」が身についてしまったら、同じ問題は繰り返し起こってしまいます（これは、引き寄せの法則によるものです）。

たとえば望みもしない男性との関係を受け入れてしまう女性は、そのような関係を望む男性ばかりを引き寄せてしまいます。他にもそうした例はたくさんあります。

作家エックハルト・トールは、問題を続かせるマイナスの被害者エネルギーは、〝今〟の力に気づくことでとり払われるといいます。

被害者としての生き方は、過去が現在より力をもっているという、真実とは正反対の考えに基づいている。自分の今の苦しみや「自分はこんなはずではない」という思いは、すべて他人がしたことのせいだとする考え方だ。

だが真実は、唯一力をもっているのは「今この瞬間」である。これがわかってしまえば、今の心の状態はすべて——他の誰でもない——自分自身の責任であり、過去は〝今〟の力にはかなわないのだと思えるようになるだろう。

「今この瞬間」私たちは常に自由なのです。古い習慣を打ち破り、幸せの習慣を身につけて、思いどおりに未来を築いていくことができるのです。

私たちから幸せを奪う習慣は、主に3つ——不平を言う、他人のせいにする、自分を恥じる——ですが、どれも間違った被害者意識から生まれるものです。

●不平を言う

不満を口にしたり、自分を憐れんだり、同情を得ようとしたりするのは、自分でつくった悲劇のヒロインになっている証拠です。被害者意識をもっていて、自分だけが損をしたと感じているようです。

1章で説明した「引き寄せの法則」を思い出してください。不快なことにばかり注意を向けていつもグチをこぼしていれば、**そのエネルギーは徐々に強固なものになって、嫌いな人や厄介な問題をますます呼んでしまいます。**それは世の中に向かって、「欲しくないもの」をどんどん注文しているようなもの。

不平を言う人の口グセは「私ってかわいそう！」

●他人のせいにする

自分に起きた不幸を、他人や状況のせいにするのは、自分の力をないがしろにすることです。**責任を転嫁することによって、本来自分がもっていた力を他人や状況に譲り渡してしまう**からです。

他の物事を責めるのに費やすエネルギーは、自分で問題を解決するために使うべきです。

他人のせいにする人の口グセは「私のせいじゃない！」

●自分を恥じる

「すべて出来の悪い自分がいけないのだ」と落ち込んだり、他人からバカにされたと感じたり、自分のしたこと（しなかったこと）に罪悪感を覚えたとき、人は心の奥の羞恥心《しゅうちしん》を抑えたり覆い隠そうとしたりしますが、それは多くのエネルギーを消費し、幸せを奪っていきます。自分を恥じる人の口グセは「どうせ全部私が悪いのよ！」

あなたの周りにいる「あまり幸せでなさそうな人々」を思い浮かべてみると、いつもグチをこぼしていたり、他人への不満を口にしたり、すんだことをいつまでも後悔しているのではありませんか。そんなことに多くの時間を費やしていては、幸せを感じる余裕が生まれるはずはありません。

✴脳の中の「潜在意識」がこんな口グセに出てくる

被害者意識が生み出す行動は、気づかないうちに身体の奥深くに忍び込み、染み込んで習慣化してしまいます。

私が初めてそれを目《ま》の当たりにしたのは、企業で「自己責任の重要性」についてのセミナーを行なっているときでした。

休憩に入るとき、時間どおりに教室に戻ってくるよう言うと、皆「わかりました」と返事をしたので、遅刻した場合は「教室の前に出て私が指定した歌を歌う」という罰ゲームを課したのです。

それでもやはり遅刻する人がいて「あの男のせいで」「あの信号のせいで」「そんな罰ゲームはナンセンスだ」と文句たらたら。些《さ》細《さい》な約束事であっても、自分の行動に責任をもつというのは難しいものなのです。

もちろん私はどんな言い訳も認めませんでした。三日間のセミナーの間、ネームプレートをつけた参加者たちは、次から次へと教室の前に出て、私の好きな歌を恥ずかしそうに歌っていました。

ところが数年後、別のセミナーで私はしっぺ返しを食らったのです。クラスリーダーの発案で、私も含めて言い訳・不平・グチ・後悔を口にした人は箱に二ドル入れていくことになりました。

開始して早々に私は遅刻して「モーニングセットの列がなかなか進まなくて……」と口走って二ドル、「この部屋は何て寒いの！」で、また二ドル払うはめになりました（エアコンが効きすぎている可能性は十分あったのですから、上着をもっていくべきでした）。

言い訳や後悔や不平の言葉は自然に口を突き、私の財布はその日のうちに空っぽになってしまいましたが、授業料としては安かったと思います。無意識のうちに自分がどれほど被害者ぶった行動をとっているか、はっきりと知ることができたのですから。

もちろんそれを思い知ったのは、私だけではありませんでした。セミナーの三日間が終わったとき、罰金の箱は一杯になり（集まったお金はチャリティーに寄付されました）、被害者じみた行動の数は明らかに減っていました。

自分の習慣に目を向けるためのゲームを、家庭や職場、友人たちとの間で試してみてください。きっと寄付金がたっぷり集まることでしょう。悪い習慣に目を向けることができ、それらをいい習慣に変えていくためのヒントが見つかるかもしれません。

もちろん、脳の回路を書き換えて悪い習慣を改めていくのに年齢は関係ありません。私の母は高齢になってから、目を見張るような変化を遂げました。

「幸せの国の百人」とのインタビューからわかったのは、自分の幸せに責任をもっている人は、基本的に次の3つの「幸せを呼ぶ『脳の使い方』」を実践しているということでした。

幸せを呼ぶ「脳の使い方」1

解決策に目を向ける

古いことわざに「思い悩むのは〝揺りいす〟と同じ」というものがあります。「悩むことは、多くのエネルギーを使うけれど、結局どこへも行きつくことがない」という意味です。

幸せを奪う習慣の一つ、不平を言うのもそれと同じこと。気に入らないことに文句を言っていたら、いつのまにかひどく興奮していたけれど、結局事態は何も変わっていなかったという経験があなたにもあるのではないでしょうか。

不平を言うのに使うエネルギーを、問題の解決に——創造力や知性やイマジネーションを使うことに——当てるとしたらどうなるか想像してみてください。

どちらがあなたを幸せにしてくれるか、考えるまでもありません。悪いことにばかり気をとられるのはエネルギーの縮小になりますが、解決のために何ができるかを考えるのはエネルギーの拡大につながります。

勝者は解決策に目を向け、敗者は不平に終始するのです。

取材した「幸せの国の百人」のうち、これから何人かを紹介します。ぜひ彼らの習慣を真似してみてください。アリエルはそのトップバッターです。

アリエルの物語
新しい視野を手に入れるということ

看護師として勤務していた私は、長い一日を終え、家路に就くところでした。しばらく目がかゆかったので、途中薬局に寄って目薬を買い、家に着くとさっそく差してみたのです。

そうしたら、焼けつくような激痛が走り、目の前のすべての物が輪郭を失いました。ナース服を着たまま私はすぐに病院へ戻り、救急室に駆け込みました。医師はあらゆる手を尽くしてくれましたが、目の痛みは消えず、視界はどんどんかすんでいきました。その目薬には何者かによって薬品が混ぜられていたといいます。

そして一時間後、私の目は完全に視力を失いました。

その後何カ月間も、私は自己憐憫《じこれんびん》の分厚い壁の中で、世間から隔離された囚人のように生きていました。夫や友人の慰めは、何の助けにもなりませんでした。

視力を失う前は皆と同じように、毎日の生活を——仕事も趣味も友人とのつき合いも

——当然のものと考えていました。

そこでどれだけ視力に頼った生活をしていたか、初めて気づきました。

仕事の他に、絵を描き、アクセサリーをつくり、写真を撮り、小型飛行機を操縦し、星占いにもはまっていました。スポーツや野外活動も好きで、水泳とテニスを習い、地元のボートクラブに入り、双眼鏡を片手に自然の中を散歩することも多かったのです。

それに、大好きだったバードウォッチングももうできなくなってしまった……。

視力を失った私は、文字通りすべてを失ってしまったのです。

そうして一年が過ぎたある日、ベッドの中である考えに行き当たりました。

私の人生はいったい何のためにあるのかしら。

毎日自分を憐れみながら、殻に閉じこもって生きていくため？

目が見えないことよりも、その生き方のほうがずっとみじめです。

この先二十年も三十年も、いや四十年も、鬱屈《うっくつ》したまま生きていくのでしょうか。そんな人生でいいのでしょうか。

「絶対イヤだ！」心の叫びが聞こえました。「そんな人生はごめんだわ」

生きるエネルギーと、人生への意欲が戻ってきたのはそのときでした。

もう一度やり直そう。人生をやり直すのです。

でも、何をすればいいのでしょうか。他の人たちはどうしているのでしょうか。たいてい盲導犬を連れているか、白い杖を突いている。私は昔から犬が好きでしたので、「よし、盲導犬を飼おう」と思いました。

目が見えなくなって初めて、私は自分を憐れむのをやめていました。人生の目的と方向性とが見つかったからです。

まずは盲導犬センターへ電話してみようと思いました。ベッドに起き上がり、ナイトテーブルの上を手探りして、受話器をとり上げました。

何かをやる気になっただけで、こんなに気持ちが明るくなるなんて。

盲導犬センターの担当者は、「盲導犬を飼うには、まず犬と一緒に生活するためのスキルを身につけなければいけませんよ」と教えてくれました。

私はすぐに、トレーニングを受けると答えました。

新たな目標ができ、ようやく生きているという実感がわいてきました。

訓練の最初の六カ月間は、本当に大変でした。何度もあきらめそうになり、ベッドの中で自分を憐れんでいるほうがずっと楽だと思いました。

それでも思い切って何かに挑戦し、ビクビクしながらもやり遂げたとき、すがすがしい達成感とともに希望の光が見えてきたのです。その光がはっきりとした形をもったのは、初めて盲導犬ウェブスターのリードを握って、一緒に歩いたときでした。

つまずかないように杖で地面を突きながら、一歩一歩ゆっくりと歩いていく。何度か練習しているうちに何の不安もなくなって、最後には、ウェブスターと一緒に普通のペースで歩けるようになっていました。

突然すべてが動きだしました――安心感と自信を得て、私は自分をとり戻したのです。ウェブスターと一緒なら、ハイキングへも行けるようになりました。夫婦で森の中を歩いていると、鳥のさえずりが聞こえてきました。

「ねえ、聞こえる？　鳥がいるでしょ。何色かしら？」

夫は鳥を見つけて羽の色を教えてくれます。

「尾に黒い線が入っている？　大きさはこのくらい？」うれしくなった私は矢つぎ早に質問します。

「そうそう！　のどが白くて、くちばしの形はまるで……」私と同じほどうれしそうに、夫は鳥の様子を詳しく説明してくれます。

「ああ、それならムナジロミソサザイだわ！」私は有頂天でした。

新しいバードウォッチングの方法が見つかった！

もう二度と味わえないと思っていた喜びが戻ってきました。いえ、喜びはもっと大きかったのです。夫とともに楽しい時間を過ごせるようになったのですから。

ウェブスターのおかげで、仕事にも復帰することができました。

それに、盲導犬センターが募集していたボランティアの仕事も引き受けました。自宅近くの「盲導犬ふれあい広場」の案内係です。

この仕事を得られたのは、本当にラッキーだったとしか言いようがありません。人に手を貸すことがこんなに楽しいことだとは、かつては思ってもみませんでした。

あるとき、ふれあい広場に一組の夫婦がやってきたことがあります。視力を失った夫を妻が連れてきたのです。

視力のあるボランティア職員の話では、彼は帽子を目深《まぶか》にかぶり、髪が長く、ひげも伸び放題だといいます。きっとかつての私のように、引きこもって暮らしているのでしょう。それでも一カ月間の宿泊訓練を受けると言ってくれました。

その訓練の半分が過ぎ、パートナーの犬が決まったころ、彼はインストラクターに頼んで散髪に出かけ、ひげも剃り、服も新調しました。犬や世間と接するうちに、外見も性格も明るくなって、以前とは別人のように変身しました。

卒業セレモニーで壇上へ進む彼を見て、一カ月間会っていなかった奥さんは、最初それが自分の夫だとは気がつかなかったと言います。

視力を失う前、私は自分が恵まれた人生を送っていると信じていました。でも、今のほうがはるかに幸せを感じています。

人のためになる仕事をし、毎日が充実していて、心も以前より穏やかになった気がします。それに、視力は失ってしまったけれど、視野はずっと広がりましたしね！

✴三週間で脳の悪癖が治る「リストバンド療法」

誰でも何らかの理由で、自分を被害者だと思ったことがあるでしょう。小さな失望や不満や挫折が積み重なって、不平を言うこともあるでしょう。

最近の調査によると、**平均的な人が一日に漏らす不平の数は小さいことまで含めて七十回もある**といいます。

そこで、カンザス・シティの牧師ウィル・ボウエンは、ある画期的な方法を思いつきました。彼は礼拝に集まった人々に紫色のリストバンドを渡し、不平を一つ言うたびに、リストバンドをつける腕を換えることを提案したのです。目標は三週間リストバンドをつけ換えないこと。

この運動は他の地域にも広がって、今では世界中で何百万もの人々が、紫色のリストバンドをつけ、ボウエン牧師の「不平のない世界をつくるとり組み」に参加しています。

また、物理学者で企業コンサルタントとしても活躍しているマーク・マッカーゴウは、「被害者意識の捨て方」を編み出した人物です。

彼の「ソリューション・フォーカス」と呼ばれる問題解決のメソッドは、不満な点ではなく、うまくいっていることに目を向けていきます。左のページにある手順に沿って、自分が不満に思うことを検証してみてください。このメソッドによって、不平に費やすエネルギーを節約し、プラスの感情を高めることに集中できるようになります。

幸せを呼ぶ「脳の使い方」2

貪欲に「教訓」と「利点」を探す

幸せを阻む悪癖の一つは、「自分の問題を他人のせいにすること」です。

過去八カ月から一年以内に大きな事故に遭った人のうち、いつもその事故を引き起こした他人を責めてばかりいる人は、ダメージを克服しようという前向きさが足りず、いつまでたっても元のように回復できないということが調査でわかっています。

たとえば、次のように言っているうちは、けっして前には進むことができません。

頭がプラスに向く「ソリューション・フォーカス」

紙とペンを用意して、次の質問の答えを書いてください。

モヤモヤ

① あなたの不満を一つ挙げ、点数化する(完全に満足している状態を10点、もっとも満足度が低い状態は1点)。
1点なら③に進む。

例
やりがいがないので
会社を辞めたい ➡5点

プラス要素

② もっと低い点ではなく、なぜその点なのか理由を書く。

例 同じ部の同僚は
いい人たちだ

未来志向

③ 満足度を上げるための要素を書く。自分にできることはないか。

例 同僚と協力して新しい
企画を立ち上げてはどうか

実行

④ ③で書いたことを
今日から実行する!!

「お母さんのせいだわ」

「夫があんなふうだから」

「政府がもっとちゃんとしてくれないと」

「六歳のときのピアノの先生があんな教え方をしたから」……

「幸せの国の百人」は、何が起こっても、それを他人のせいにはしません。「宇宙は自分を支えている（支援の法則）」と考えて、どんな困難からでも教訓や利点を探そうとするでしょう。

あなたも、誰かのせいだと思えて仕方がないときには、こんなふうに考えてみてください。

「ここから何か学べることはないだろうか」

「この問題から得られるプラスの部分は何なのか」

まるで「映画のワンシーン」のようにふり返る脳の機能

物事が自分の思いどおりにならないことは、必ずしも悪い状況とはかぎりません。いつも宇宙はあなたを支えているからです。宇宙は結果的にあなたの不利になるようなことは絶対にもたらしません。そう思うだけでエネルギーは拡大し、幸せ度は上昇していきます。

意識してそう考えるように心がけていれば、そのうちどんなことからでも教訓や利点を見つけられるようになるでしょう。

ここで、逆境に陥ったら試してみてほしいエクササイズをご紹介します。

①静かに座り、目を閉じて二、三回深呼吸をしましょう。

②誰かに意地悪くされたと感じ、相手に怒りを感じたときのことを思い出してみてください。相手の顔やその場の状況、言われた言葉やされた行為を振り返ってみます。

③その光景を、映画のワンシーンであるかのように客観的に眺めてください。

④そこで起こったことの中で、自分で変えられることはないかを考えてみてください。始めに問題が起こりそうな徴候はなかったでしょうか。状況を悪くするようなことを自分がしていなかったでしょうか。状況を悪化させるような考え方や行動をとりませんでしたか。

⑤そこからどんな教訓が学べるかを考えましょう。もっと忍耐力が必要なのか、もっと注意深く行動すべきなのか、もっと人の話を聞くべきなのか、あるいは人とコミュニケーションをとるべきなのか……といったようなことです。

⑥もし、この状況にもっと高い次元、つまり人生全体を見すえた大きな目的があるとしたらそれは何か、あるいは人生全体に利益をもたらす何かがないだろうかと自問します。

⑦ 教訓や利点を見つけたら、自分で変えられそうなことの中で、もっとも重要なことは何か、紙に書き留めてください。

幸せを呼ぶ「脳の使い方」3

失敗は意識して水に流す

誰の人生もそうであるように、あなたの人生にもうまくいかないことはあるはずです。夫婦関係や子どものことで、あるいは誰かを傷つけるか自分が傷ついて、「なぜあのとき、こうしなかったのだろう」と自分を責めることもあるでしょう。

自分を責めることは屈辱感や罪悪感を生み、脳内のネガティブな神経回路を発達させ、他人を責めることと同じくらい幸福感を奪っていきます。これらの感情はしだいに私たちをじわじわと浸食し、エネルギーを消耗させ、幸せを感じる力すら鈍らせていくのです。

まずは自分を認めてあげてください。

自分を認めれば、押し殺してきた感情や過去の経験を受け入れて、あなたの奥深くに封じられていたエネルギーを解放することができます。

そして、あなたはもう後ろを振り返ることはありません。

✴ 脳に巣くう「とらわれ」から逃れる法

では、自分自身を認めてあげるにはどうすればよいのでしょうか。

心に深い傷を負っているなら、押さえ込んだ感情を解き放ち、過去を受け入れなければなりません。こういった苦しみや痛みを背負うことは、身体にとっても有害です。

文化人類学者アンジェレス・アライエンによれば、多くの土着文化において、苦しみやトラウマの回復手段として、「その経験を人に話す」という方法がとられているそうです。

ただし、つらい経験は、何度も話せばいいというものでもありません。その経験を繰り返し思い出すのは、人を「被害者のエネルギー」の中に閉じこめてしまう危険性があるからです。過去を認めるということは、自分を癒し、解放し、前へ進むことでなくてはなりません。

また人は時に、自分が受けた仕打ちからではなく、自分がとった行動に後悔や罪の意識を感じ、自分に自信がなくなる場合があります。

「あんなひどいことをしてしまったお前に、幸せになる権利はないぞ」と、自分自身にしつこく言い聞かせてしまうのです。これでは気持ちよく過ごせるはずがありません。

脳の研究者ハリエット・ゴスリンズは、

「『自分に責任をもつこと』と、『自分を責めること』の区別ができたとき、人は初めて新しい選択ができます。そして本当に自分を認めることができるのですよ」と言います。

過去の過ちを変えることはできませんが、ほんの少し発想を転換すれば、それを正しい道に引き戻すことができるでしょう。

心のモヤモヤをとり除く「Mパワー・マーチ」

指圧療法士M・T・モーターが、「Mパワー・マーチ」というエクササイズを教えてくれました。これは、最近急速な進歩を遂げている「エネルギー心理学」という研究分野から編み出されたものです。

古代から何千年もの間、人の体内には「エネルギーの通り道」があると考えられてきましたが、エネルギー心理学のエクササイズは、その通り道から「邪魔なものをとり除く作用」があります。

このエクササイズが今や多くのセラピストや医師によって広く実践されているのは、脳内の古い心の傷や後悔といった潜在意識を消すことができ、自分を素直に認められる効果がと

「Mパワー・マーチ」で脳にエネルギーを!

① まっすぐ立って、リラックス。

② 左足を大きく前に踏み出し（両足ともつま先は前を向く）、右足のかかとが床に残る程度に左ひざを曲げる。

③ 右腕を斜め上45度前に伸ばし、左腕は同じ角度で後ろへ。

④ 顔を右腕のほうへ向け、あごを上げる。目を閉じて、身体を伸ばす。

⑤ 後悔したり恥ずかしいと思ったり罪悪感を感じたりしたことを思い出す。深く息を吸って、そのまま5～ 10 秒自分を許すことに集中。

⑥ 息を吐いてリラックスし、左右を逆にして同じ動作を行なう。

これを３セット繰り返す！

ても高いからです。

さあ、ネガティブな思考回路を大そうじできれば、あなたの幸せの「基礎部分」は完成です。

ここで学んだのは、「解決策に目を向けること」「逆境から教訓や利点を探すこと」「自分を認めること」でした。

それができたあなたは、次の章に進みましょう。

3

脳に「ポジティブな回路」をつくる法

——毎日、脳に「毒」を与えている人、「良薬」を飲ませている人

✴「今日考えたこと」の95％は、昨日も一昨日も考えている

あなたは一日に何度悪い考えに襲われることがあるでしょうか。

「私はダメな人間だ」

「夫（妻）に愛されていない」

「私は何て見た目が悪いんだ」

「何てバカなことをしたんだろう」

「もうこの仕事はやっていけない」

普通の人ならこうしたことを日に幾度となく考えます。しかしこうした悪い考えが頭を駆けめぐっているうちは、幸せは訪れないでしょう。

私たちの思考は常に〝オン〟の状態にあります。研究によれば、人は一日に六万個の物事を考えていて、その九五パーセントは前日も前々日も考えていたことだといいます。同じレコードを毎日繰り返しかけているようなもの、もしくはｉＰｏｄで同じ曲を連続再生するようなものです。

問題なのは、その習慣的な考えの約八〇パーセントがネガティブなものだということ。つ

まりほとんどの人は一日に四万五千回、先の例に挙げたような後ろ向きの考えにとらわれているというのです。

世界的精神科医で脳イメージングの専門家ダニエル・エイメンは、こうした習慣化したマイナス思考を「ＡＮＴ（自動再生式悲観思考）」と呼んでいます。ＡＮＴが次から次へと押し寄せてくれば、生理的機能にも悪影響が及びます。

アメリカ国立衛生研究所が脳の血流や活動の様子を測定したところ、ネガティブな考えは、脳の中の憂うつや不安を引き起こす部分を刺激するといいます。一方で、ポジティブな考えによって、脳内は穏やかになり、有益な影響が生まれていることがわかりました。

脳機能にとって、マイナス思考は毒、プラス思考は良薬であるということでしょう。

「恐い目をした人」を発見したときの脳の反応

毎日幾度となく襲ってくる悪い考えは、「真実」とはかぎりません。これは当たり前に聞こえるかもしれませんが、重要なポイントでしょう。

人は時として狭い視野で物事を見て、自分の考えが正しいと思い込み、疑いもせずその考えに沿って行動してしまいますが、これほど愚かしいことはありません。

私がホテルの大ホールで四百人を前に講演を行なっていたときのこと。

話しているうちに、手の平に汗をかき、心臓がドキドキして、「どうしよう、この講演は絶対失敗に終わる……」と思い始めました。

なぜそう思ったのでしょうか。それは、聴衆の一人、前から三列目の男性が気になって仕方がなかったからなのです。

男性は腕組みをして身動き一つせずに座っています。私の冗談にニコリともしないし、ほんの小さな相づちさえも打とうとしません。目は怒っているようにも見えます。あの人は私の話が気に入らないのだ、いや、私のすべてが気に入らないのかもしれない、私はそう思いました。

何とか講演が終わったとき、その男性がステージに近づいてくるのを見て、私はぎょっとして身構えました。下手な話を聞かせられた、と怒り出したらどうしよう……！

ところが彼は、私に近づくと手を差し出してこう言いました。

「ありがとうございました。あなたのお話を聞いて、人生が変わった気がします」

あやうく腰が砕けそうになりました。この人は私を嫌っていたのではなかった！

私がパニックを起こしたのは、私自身のネガティブな思い込みのせい、しかもその思考は完全に間違っていたのです。

誰の考えも、いつも正しいとはかぎりません。それに気づかないうちは、本当の幸せを感じることはできないのです。

あなたは読み聞きしたことを、すべて信じるなどということはしないはずです。特殊技術が進み、コンピュータで誰でも合成画像がつくれるこの時代、見たものさえもそのまま信じるわけにはいかないのです。だからこそ「考えたことをすべて信じてはいけません！」

「脳の警報システム」のスイッチを切れ！

人の脳には太古より「恐怖」と「不安」という「幸せのバリア（障壁）」がプログラムされています。この二つの「脳の警報システム」は、現代社会ではあまり役に立ちません。

原始時代、人の祖先は子孫を守るため、楽観的に考えるより、あらゆる危険に注意を払う暮らしをしていました。そうしなければ、鋭い牙をもったトラに子どもを食べられてしまうかもしれなかったからです。いつも最悪の事態を想定することによって、人間は子どもを一人前に育て上げることができたのです。

長く生きたければ、どんな小さなサインも見逃してはならない、たとえそれがとり越し苦労であっても、重大な危険に気づかないよりはいい、私たちの祖先はそう考えていました。

危険をかえりみず「お気楽」に生きていた人々は、子どもを育て上げることも、自分の遺伝子を残すこともできませんでした。

当然のことながら、今ではもう人間はトラに襲われるのを心配する必要はありません。

それでも祖先と同じ思考回路を受け継いでいるため、楽観的に考えるより悲観的に考えるほうを選んでしまうのです。

脳の研究を専門とする心理学者リック・ハンソンは、「私たちの脳は、ネガティブな考えをマジックテープで留め、ポジティブな考えをテフロン加工ではじいているようなものです」と言います。

つまり嫌な経験はぴったりとくっついて離れず、うれしい経験はスルッとすべり落ちてしまうというのです。研究によれば、一回の嫌な経験を乗り越えるには、それよりずっと多くの楽しい経験を必要とするといいます。どうやら私たちにとって、原始時代からの思考回路はありがたいものではなさそうです。

十人から褒《ほ》められても一人から非難されればどちらが記憶に残るでしょうか。

普通の人ならたくさんの讃辞よりも、たった一つの痛烈な批判のほうをいつまでも覚えているものです。

このように、自分を苦しめる考えや経験に強く反応してしまう傾向は、心理学用語で「ネガティブ・バイアス（否定的偏向）」と呼ばれています。心理学者ジョン・カシオッポは、脳機能を電気的に測定する実験によって、人間にこういう傾向があることを証明しました。

博士は被験者たちに、いい気持ちにさせるもの（スポーツカーやおいしそうな食べ物）、嫌な気持ちにさせるもの（むごたらしい場面や恐ろしい生き物）、何の感情も引き起こさないもの（皿やドライヤー）の三種類の写真を見せて実験データをとりました。

人々の脳波は、嫌な気持ちになる写真を見たときに著しく高い値を示したことから、ネガティブなものはポジティブなものより、脳に強烈なインパクトを与えるということがわかりました。

ネガティブな経験がそれほど〝強烈〟な理由は、どうやら脳の中の扁桃体《へんとうたい》という部分に関係があるらしいのです。

扁桃体とは、警戒心をつかさどり「闘争・逃走反応」を引き起こす部分です。

✴ 何かと「悲劇のヒロイン」になりたがる人の特徴

扁桃体が「戦え」または「逃げよ」の信号を送ると、心拍数は上昇し、アドレナリンなどのストレスホルモンが血流へ大量に放出されます。

ストレスホルモンは、喜びを司るホルモンより強い記憶を生み出す作用があることから、**不快な経験は化学的に誇張されてうれしい経験より長く記憶に残ります。**

さらに、多くの人は扁桃体の活動が非常に活発で、頻繁《ひんぱん》にアドレナリンを放出するよう指示を出しているのです。

科学者はこれを「熱い」扁桃体と表現していますが、このような扁桃体は、すぐにかんしゃくを起こしたり、頻繁にパニックに陥ったり、些細《ささい》なことに腹を立てたりする原因になります。

あなたの周りにも、悲劇のヒロインになっている人、怒りっぽい人、心配性の人、グチっぽい人などがいると思いますが、どれも熱い扁桃体のせいなのです。

扁桃体が過熱状態になると、脳はネガティブな神経回路を広げてしまい、思考もマイナス方向へと一直線に下がっていってしまいます。そうなれば、不安でたまらなく、最悪の事態を何度も想像し、毎日が不幸の連続となってしまうのです。マジックテープで貼りつけられた考えを、いつまでも自分に言い聞かせているようなものだからです。

健康面でも熱い扁桃体は悪影響を及ぼします。闘争・逃走反応のボタンが繰り返し押されると、放出されたストレスホルモンが身体の中に蓄積されてしまいます。

現代にトラはいませんが、その代わり、高速道路でのヒヤッとする瞬間や、上司や同僚との口論、夫婦げんかなど、ストレスホルモンを放出させる場面は山ほどあります。

かつては、走って安全な場所へ逃げたり、相手と戦ったりしてストレスホルモンは相殺されましたが、今ではそうした行動をとるわけにはいきません。その結果、**ストレスホルモンは身体に残り、沈殿して疲労や病気を引き起こします。**

ストレスホルモンを止める方法を知らなければ、幸せ度を著しく引き下げることになってしまうのです。

マイナス思考の神経回路には「プラスの上書き」をすればいい

たとえ現在、脳がネガティブな考えをぴったりと貼りつけていて、警報システムが常に「オン」になっていても、その傾向を変えていくことは必ずできます。

脳の神経系は柔軟で、新しいやり方を覚えることができるので、意識して考え方を変えさえすれば、脳の中にもDNAの中にも変化が起こるかもしれません。

考え方を変えれば新しい神経回路がつくられる、ということを、1章で紹介したリチャード・デヴィッドソンが実験によって証明しています。

幸せをうながすような考え方をするように心がけていた人は、マイナス思考の回路が狭まって、プラス思考の回路が広がっていき、それによってさらに前向きな考え方ができるようになったといいます。

ごく最近まで、遺伝が幸せの度合いに及ぼす影響（度合いの約五〇パーセントはDNAで決まるということ）については、変えることができないという考え方が一般的でした。ところが分子生物学者ブルース・リプトンによれば、「DNAは私たちが考えているほど不変ではない」のだそうです。

リプトンの実験によれば、DNAはその人の考え方によって影響を受け、個人の幸せ度を変えられる割合は、五〇パーセント以上だということなのです。

常に希望的観測をもとうとか、とにかく何でもいいから前向きに考えさえすればよいということではありません。

必要なのは具体的対策を講じること、つまり古い思考回路をもった脳に、新しい考え方を教えてあげることでしょう。

「幸福」の中枢であるとされる大脳新皮質に働きかけて、ネガティブ・バイアスをなくし、原始的な警報システムのスイッチを切るのです。

✴「脳波」の世界的権威の驚くべき研究成果

研究によれば、幸せを感知するのは大脳の新皮質――正確には左前頭葉前部――です。また多くの調査から、幸せな人々はこの部分の活動が活発であるということがわかっています。一方で、不安や恐怖や憂うつを感じている人は、右前頭葉前部皮質の活動が活発だということが知られています。

幸福に関して、脳は非常に正直です。

心理学者で脳波の世界的権威ジェームズ・ハルトは、**幸せな人の脳波は不幸せな人の脳波とは異なり、幸せな人にはアルファー波が多く現われ、扁桃体が出す恐怖のメッセージに対して反応が小さい**ことを発見しました。

幸せな人々は悪い考えに押しつぶされたり、絶えず「闘争・逃走モード」になったりせずに、より大脳の新皮質の活動が活発で、悪い考えや経験に対していつもポジティブに反応します。

彼らは自分の考えたことをすべて信じているわけではありません。

たとえば、「幸せの国の百人」は、

- 自分のネガティブな考えに懐疑的。脳の警報システムを疑ってかかり、誤報だと思えばそれを無視しています。
- ネガティブな考えにあれこれ抵抗しません。それらはネガティブ・バイアスの副産物にすぎず、やり過ごしてもいいのだとわかっています。
- 前向きな考えを重視し、ポジティブな経験を楽しもうとしています。

では、大脳の新皮質を活性化し、脳に新しい回路をつくり、ネガティブな考えにポジティブに反応するために次の「脳の使い方」を意識していきましょう。

幸せを呼ぶ「脳の使い方」4

常に「思い込み」を検証する

最近、私はダライ・ラマ十四世とチベット亡命政府の顧問を二十年以上務めている人物に会う機会がありました。外見からも穏やかさがにじみ出ているこの僧侶は、「幸せの本当の敵は、〝思い込み〟や〝錯覚〟です。物事を違う角度から見て真実がわかったら、苦しみは少なくなります。正しい考えをもっていれば、何でも克服することができます。何が起ころうと幸せでいられるのです」

と教えてくれました。

思考が真実を告げてくれるなら素晴らしいのですが、実際にはそういきません。自分の思考によって気持ちが動揺することがあれば、それを頭から信じる必要はありません。

正しく自分の思考を判断するためには、自分が信じているネガティブな考えについて、次の4つの簡単な問いかけをしてみてください。

① それは真実ですか。

② それが真実だと言い切れますか。

③ それを信じているとき自分はどんな反応をしますか。

④ それを信じなければ自分はどんな人間になれますか。

次に、信じていることを〝反転〟させましょう。

つまり信じていることとは逆の考えを口に出して言ってみます。これによって柔軟な考え方を身につけることができ、自分の考えとは逆の出来事が起こったらどんな気持ちになるかを経験するのです。

このワークで、私は〝自分の考えに対する考え方〟を一変させることができました。

たとえばあるとき夫とちょっとしたけんかをしたあと、「夫は私をいちいち批判しすぎる」と考えている自分に気がつきました。そこで……

それは、真実でしょうか。うーん、わかりません。

真実と言い切れますか。いや、証拠がないので、言い切れはしません。

そういうふうに考えているとき私はどんな反応をしていますか。

逆に夫を批判しています。これは明らかに私のエネルギーを縮小させています。

それを信じなければ私はどんな人間になれるでしょう。

もっと自由になれます。エネルギーが拡大して、もっと幸せを感じられると思います。

次は考えを「反転」します。まず元の考え（〝夫は私を批判しすぎる〟）を書き留めておきます。さらに、文章の形をいろいろ変えてみて、どれが当たっているかを考えてみます。
●夫は私を批判しすぎない。
●私は夫を批判しすぎる。
●私は私を批判しすぎる。
というふうに、あれこれ考えているうちに、最初の考え――夫は私を批判しすぎる――はもう消えていました。

自分の考えを疑うことが習慣になってしまえば、頭を切り換えたり、ネガティブな考えを追い払おうと努力しなくてもよくなります。心は穏やかで強くなり、エネルギーは拡大し、幸せ度は自然と上がっていくでしょう。

脳をホッとさせる「4つの質問」

例 人間関係で悩んでいるとき……

**私はＡさんに
嫌われているようだ。**

① それは真実か

わかりませんが、冷たくされている気がする。

② それが真実だと言い切れるか

Ａさんに直接聞いたわけではないので、わからない。

③ それを信じているとき自分はどんな反応をするか

悲しくなる。

④ それを信じなければ自分はどんな人間になれるか

自信がもて、Ａさんに自分から話しかけられると思う。

さらに考えを反転させると

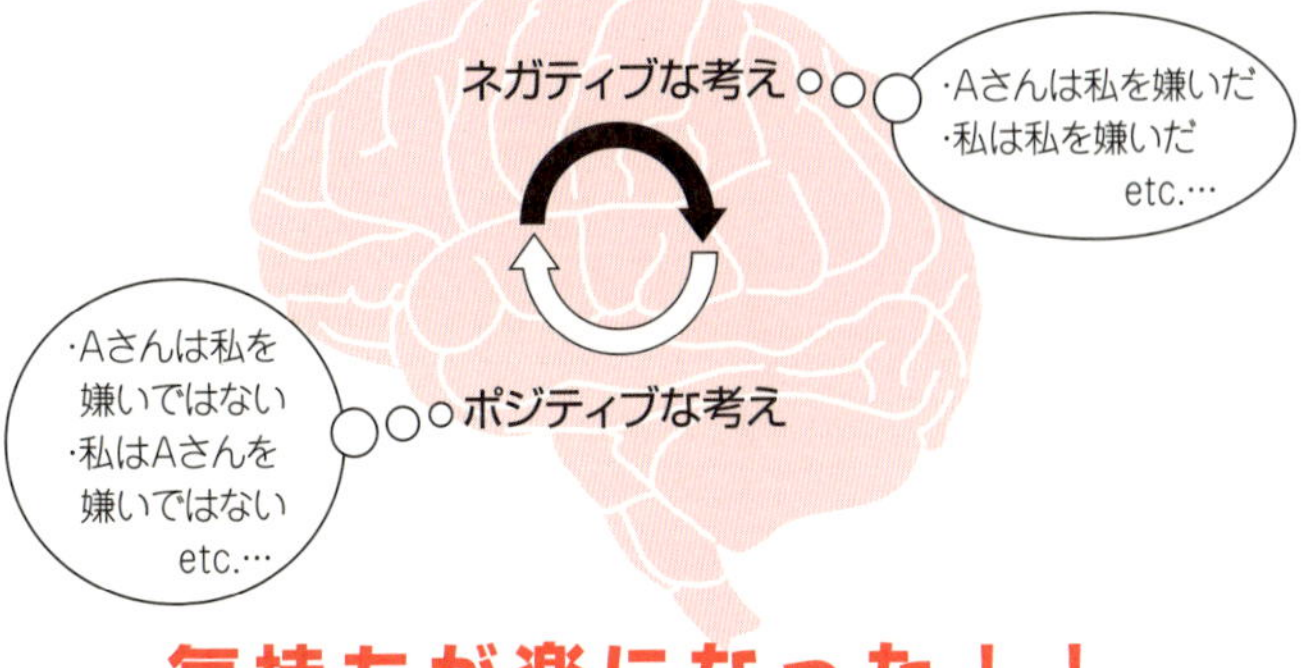
ネガティブな考え
・Aさんは私を嫌いだ
・私は私を嫌いだ
etc.…
ポジティブな考え
・Aさんは私を嫌いではない
・私はAさんを嫌いではない
etc.…

気持ちが楽になった！！

幸せを呼ぶ「脳の使い方」5

マイナス思考にこだわらない

東南アジアにあるボルネオ島の人々は昔から、作物や貯蔵食物をあさる野生のサルを捕まえるため、あるユニークな方法を使っています。

空になったココナッツの殻に、サルの手がちょうど入るくらいの穴を開けておくのです。そして殻の中に米を少し入れ、動かないものに縛りつけます。サルが食べ物の匂いに誘われてココナッツの中を覗《のぞ》くと、米が入っているので手を伸ばします。

ところが、いざ手を引き抜こうとしたら、米を握っているため穴から手が出せないのです。手を抜くためには米を放さなければなりませんが、サルはいったんつかんだ米を放そうとしません。こうしてサルは捕まってしまいます。

私たちの多くはこのサルと同じです。ネガティブな考えに捕らわれて、それを放そうとしないのです。そしてもがけばもがくほど、さらにしっかりがんじがらめになる。押しやろうとしてもムダなあがきです。

ネガティブな考えは、ただ〝手放す〟ことから始めましょう。

考えを頭に貼りつけているのは「感情」です。感情を認めて意識的にそれを解放すれば、マイナスの考えも不思議と消えてなくなるでしょう。

そのためには「セドナメソッド」と呼ばれる強力な方法を試してみてください。

✴「セドナメソッド」——ペン一本のエクササイズ

セドナメソッドは五十年以上前、レスター・レヴェンソンという男性によって考案されました。病弱だった彼が自宅にこもって瞑想し、行き着いたのが、自分の限界すべてを忘れることができるこの方法だったのです。

それこそが、今世界中で使われている究極のツール「セドナメソッド」の原型なのです。

彼は発見した方法を三カ月間集中的に試してみて、見違えるほど元気になりました。健康を回復しただけでなく、永遠の心の平安と幸せを手に入れたのです。医師たちから「数週間の命」と言われていたレスターは、ネガティブ思考を手放したことで、さらに四十二年、八十四歳まで生きることができました。

メソッドの概念をわかりやすく説明するとこうなります。

まずペンを用意します。ペンを強く握ります。ペンはあなたの考えや感情を、握った手はあなたの意識を表しています。

強く握れば手は痛いのですが、しばらくすると手はそれに慣れて何も感じなくなってしまいます。あなたの手はどうでしょうか。

同じように、あなたの意識は考えや感情をしっかりつかんでいますが、最後にはそれに慣れて、つかんでいることさえ忘れてしまっています。

次に手を開いてペンを手の平の上で転がしてみてください。ペンは手にくっついてはいないことがわかります。

あなたの考えや感情も同じ。あなたにくっついているわけではありません。

では、手を裏返してペンを落としてみましょう。何が起こりましたか。

そう、ペンは床に落ちます。

難しいことは一つもありません。ただ手を放しただけでしょう。

それが「手放す」ということです。

かつての私は自分についての悪い考えと戦って、ねじ伏せようとしていました。

しかし、ネガティブな感情は、ただ手放してしまったほうがずっと楽なのです。

セドナメソッドには2つの前提があります。

① 考えや感情は、真実でもなければあなたの一部でもない。
② そういった考えは必ず切り離すことができる。

追い求めている幸せはすでにあなたの中にあります。あとはその幸せを覆っている不幸や限界をとり除けばいいのです。そうすれば、自分の中に本来ある幸せを感じられるようになるでしょう。

私たちは当たり前のようにネガティブな考えや感情にとらわれてしまい、悲しいときは「悲しい」と、つらいときは「つらい」と、よく考えもせずそれを言葉に出してしまうことが多いのですが、こう言うことで考えや感情がより強く自分と結びついてしまいます。

次のメソッドで、その結びつきを断ち切ってください。

① リラックスして心の中に集中します。目は閉じていても開けていてもよいでしょう。
② 自分が嫌悪感を抱いている事柄を思い浮かべ、その気持ちに浸ってみてください。それは強い気持ちでなくてもよいでしょう――かすかな気持ちも強い気持ちと同じくらい簡単に手放すことができます。ただその気持ちを受け入れ、できるだけその気分に浸ります。

簡単そうに聞こえて意外と難しいかもしれません。ほとんどの人は過去や未来の物事にとらわれて暮らしており、「その瞬間」の気持ちを意識したりはしないからです。しかし、自分の気持ちに対処することができるのは、〝今〟しかないのです。

③「この気持ちを手放せますか」と自問してください。これは〝その気になればそれは可能ですか〟という意味です。答えはイエスでもノーでもかまいません。ノーと答えても放せる場合はありますし、答えはそれほど重要ではありません。このエクササイズの目的は、気持ちを手放すという意識をうながすことだからです。

④「さあ、この気持ちを手放したいですか」と自問しましょう。これは〝その気になりましたか〟という意味です。

答えがノーだったりわからなかったりしたら、さらに「この気持ちをもち続けたいですか、それとも手放してしまいたいですか」と自問します。もち続けるほうを選んだとしてもかまいません。

⑤「この気持ちをいつ手放しますか」と自問します。「今」と答えられればすぐに手放すことができます。いつ手放すかは自分でいつでも決められます。

⑥気持ちを手放すことができたと感じるまで、②から④を繰り返してください。

注意してほしいのは、気持ちを手放すことができたかどうか、最初はわかりにくいということです。しかし、何度か繰り返せば、気持ちが離れたことがはっきりわかると思います。**一つの気持ちは実は何層にもなっているかもしれませんが、根気よくステップを繰り返してください。**一度放した気持ちはもう永遠に戻ってこないでしょう。

幸せを呼ぶ「脳の使い方」6 プラス方向に走る

私たちは生まれつき、ポジティブな考えや経験より、ネガティブなもののほうを強く記憶に留める傾向があります。ポジティブな経験に対する脳のテフロン加工が、幸せな感覚を〝はじいて〟しまうのです。

この生来の傾向を修正するためには、**意識的にポジティブなものに注意を向けること、つまり「思考をプラス方向に走らせる」ことが必要**でしょう。

まずは、前向きな経験をはじいてしまうテフロン加工を剝《は》がさなければなりません。それは「意識して」うれしい経験に注意を向けることでうまくいきます。

人がそれを意識しはじめたとたん、それまで見えていなかった幸せに気づくようになり、たちまち幸福感が高まるのです。

「引き寄せの法則」を思い出せば、それは当然とも言えます。すでにある幸せの価値を認めれば、それが増えていく、つまりさらなる幸せがもたらされるということです。

「アメリカの成人の三人に二人が自分に自信をもてないでいる」という調査結果から見てもわかるように、どうも人間は自分に厳しい評価を下しがちなようです。

自己啓発セミナーの講師をしているある友人いわく、「何千人もの人々を見てきたが、**人の限界をつくっている一番の要因は『自分はダメな人間だ』という思い込み**」だそうです。

自尊心を高める方法を何年もセミナーで教えてきた私に言わせても、自分を批判的に見ることは百害あって一利なしと断言します。

脳にポジティブ感覚を植えつける「鏡のマジック」

鏡に向かって自分を褒める。ただそれだけで自信がつきます。

私がこれを始めた当初は、バスルームに入り、ドアを閉め、自分に向かって「あなたは美しい、あなたは優しい、あなたが大好き！」と褒めちぎったものです。

最初の日は自分が間抜けに見え、次の日はいい点がなかなか見つからなかったので、情けなくなってきました。

ところが何日か練習しているうちに、しだいに「いいアイデアを生む力がある」「人のために時間を惜しまない」など、褒められることはけっこうたくさん出てきたのです。

しかし、このエクササイズの威力を本当に実感したのは褒めるところがなくなったとき。特に理由がなくても鏡に映った目を見ただけで、自分を好きだと思えるようになったからです。

「自分を褒めちぎるのは、うぬぼれているようで気が引けます」という人も多いでしょう。それは私たちの大部分が、謙虚であるように育てられてきたからで、その結果、自分を素晴らしい人間だと思うどころか、できるだけ低く評価するクセがついてしまっているのです。自分はダメな人間だと思い込めば、エネルギーは縮小し、幸福感は減っていきます。

幸せな人々は自分に優しく、けっして自己卑下することはありません。**自己中心的でも傲《ごう》慢《まん》でもなく、自分をあるがままに受け入れて長所を認めようとしている**だけなのです。幸せ度を上げるには、この姿勢が必要なのです。

✷こんな感情が起きたら「三十秒間浸り続ける」

思考をプラスに走らせるには、積極的にうれしい経験を積み重ねることが必要です。まずうれしい経験をゲーム感覚で探してみましょう。

ちょっとでもいいことがあったら見過ごさず、意識するのです。ポジティブな考え、きれいなもの、おいしいもの、小さな成功、問題の解決など、何でもいいから「うれしいな・楽しいな」と思うことを毎日見つけてください。

何事でも意識すると、脳の中の**「RAS（網様体賦活系）」**を活発化させることができます。

このRASは脳幹にある細胞の集まりで、たくさんの情報の中から重要なものを選び出し、私たちの注意をそれに向けさせる役割を果たしています。たとえば、車を買ったら同じ車種の車ばかりが街で目につくようになるのはRASが働いているから。

このことから、**前向きな気持ちにさせてくれるものを意識して探すことで、RASが次から次へと「幸福」を見つけてくれる**ようになります。

うれしいことに目を向けるために、一日に何度も心の中で「賞」を与えてみてください。「行儀のいいワンちゃん賞」「おしゃれな内装のファストフード店賞」「親切なドライバー賞」といった具合です。これによって身の周りの美しいものやポジティブな気持ちにさせてくれるものに絶えず注意を向けることができます。

うれしいことを見つけたら、少し時間をとってそれを味わってみる――**ただ鑑賞するだけではなく、深く心に刻み、〝感じる〟**のです。できれば三十秒くらい、その気持ちに浸ってみるとよいでしょう。

そのうれしかった経験を書き留めておくと効果倍増です。思考の偏りを修正することができ、マジックテープとテフロン加工をとり去って、幸せに近づくことができるのです。

✴頭の中で「怒鳴り合い」をするな

「思考を喜びに向ける」という概念は、ポジティブ心理学の第一人者マーティン・セリグマンが言う「楽観主義を身につける」ことに似ています。

セリグマンは著書『オプティミストはなぜ成功するか』（講談社）の中で、楽観的な考え方はトレーニングによって身につけることができるといいます。

思考を喜びに向けるための効果的方法の一つは、ポジティブな考え方、つまり〝自分を幸せにしてくれる考えを選ぶ〟こと。

次回、ネガティブなことを考えそうになったら、その状況をもっと喜べるような、「確かな事実」を何か探し出して、そちらに注目してみましょう。

ある日、原稿を書いていた私は、「このままだと、締め切りに間に合わない！」という悲観的な考えに襲われていました。

そこで私は、それまでの経験からこういう事実を考えてみることにしました。

「これまで私は締め切りに遅れたことはないのよ。本当に切羽詰まったら、誰かに手伝ってもらうことだってできるじゃないの。もっと落ち着けば、絶対にいいアイデアが浮かぶはず」

これは無理やり前向きに考えたり、間に合わないと思っているのに「間に合う、間に合う」と言い聞かせたりすることとは違います。それでは、まだネガティブな考えにとらわれているのと変わりません。頭の中で怒鳴り合いをして、「間に合う」が勝つか「間に合わない」が勝つか、声の大きさだけを競っているようなもの。

今、すべきことは**イヤな気分になる事実から、いい気分になる事実へと「視点を転ずる」**ということ。

幸せは、少しずつ、毎日見つける習慣をつけていってください。

4

「脳が一番喜ぶこと」を毎日する

――こんな簡単なことに、なぜ気づかなかったのか！

✴「強心臓」の人ほどハッピーで長生き

「自分を指差してください」と言われたら、どこを差しますか。

私が会った何千人もの人々は、胸を差しました。へそやひざを差す人は一人もいませんでした。

なぜでしょうか。それは私たちのほとんどが本能的に、胸に心が宿っていて、心こそ自分の本質だと感じているからではないでしょうか。

かつて私は何年間も、胸に鋭く刺すような痛みを感じていました。痛みが始まったのは二十年以上前、愛していた男性と別れたとき。結婚を意識していたわけではありませんでしたが、彼が私の親友とつき合いだしたとき、胸が引き裂かれる思いをしました。

時が癒してくれるだろう、新しい恋人ができればよくなるだろうと思っていましたが、胸の痛みはいっこうになくなりません。時には息が吸えなくなるのではないか、心臓発作を起こすのではないかと思うほどでした。医者に診てもらっても、原因はわからずじまい。彼のことを思うたび胸は潰れんばかりに痛み続けるのでした。

さて、今度は子どものころの楽しかった出来事を思い出してみます。家族で出かけたときのこと、友だちと遊んだ記憶、初めて犬（猫）を飼うことになった日のこと……。

私だけでなく、誰しもきっと甘く温かいものが胸に込み上げてくるはずです。これらが「胸のエネルギー」です。

胸には強力なエネルギーの場が存在するというのは科学的な事実です。

非営利の心理学研究組織ハートマス財団の研究者たちは、**心臓が直径数十センチの電磁場をつくり出していて、それは脳がつくり出す電磁場の五千倍強力である**ことを突きとめました。

スタンフォード大学やマイアミ心臓研究所などの研究でも、その事実が証明されています。

ハートマス財団ではまた、感情によって心臓の活動がどう変化するかを調べ、その結果、不満を感じている人には、不整脈が見られ、それはストレスホルモンやコレステロールの放出、血圧の上昇など、身体への悪影響をもたらすといいます。

一方、満足を感じている人は、心拍リズムが安定していて、アンチエイジングのホルモンとして知られるＤＨＥＡなどの有益なホルモンの生成がうながされ、血圧は安定し、認識力が高められ、免疫機能が強化されるのです。

また、ケンタッキー大学の研究チームは一八〇人の修道女を対象に、彼女たちが二十代からつけていた日記を調べました。そこでわかったことは、前向きな気持ちを多く記していた修道女は、ネガティブな気持ちを多く記していた修道女より、平均して七年も長く生きたのです。

つまり、前向きな気持ちでいることは長生きの秘訣《ひけつ》といえます。

感情は大まかに言って、「愛」と「恐怖」の二つに分類できます。

「感謝」「許し」「思いやり」「称賛」といった「愛の感情」は、心臓を膨らませ、心拍リズムを一定にしますが、「怒り」「悲しみ」「苦しみ」「罪悪感」といった「恐怖の感情」は、心臓を縮小させ、心拍リズムを混乱させます。

ならば〝意識的に〟愛の気持ちを抱くことによって、心臓を膨らませ、心拍リズムを安定させることができるのではないでしょうか。

「幸せの国の百人」はいつもプラスの感情を大切にしています。

幸せを呼ぶ「脳の使い方」7

とりあえず感謝してみる

感謝の気持ちから、思わず腕を広げ「ありがとう!」と言った経験はありませんか。感謝の気持ちを口にすることは、胸を膨らませます。

しかし、私たちは感謝することを忘れがちなのです。一日のうち、イヤなことを考えて過ごす時間と、何かに感謝して過ごす時間では、どちらが多いでしょうか。どうやら感謝や称賛の気持ちは、特別なときにだけ引っぱり出されるもののようです。

ところが、「わけもなく幸せ」な人々は、一日のうちに何度も感謝の気持ちを意識します。特別彼らが〝ツイてる〟わけではありません。ただ物事のとらえ方が人と違うのです。

✷ 毎日、人に話し切れないほどたくさんの「いいこと」を見つける

「ありがとう」という単純な思いがなぜそれほど効果的なのでしょうか。それは「引き寄せの法則」に関係があります。

もっとうれしい経験をしたいなら、今までにうれしく思ったことの価値を認めて、それに感謝するとよいのです。そうすれば次々と別のうれしいことが集まってきます。

感謝の気持ちはつらさから目をそむけるためのものではなく、心を喜びでいっぱいにするためのものなのです。

誰しもつらいこととうれしいことの両方を経験しますが、心のエネルギーをうれしいこと

に向けていれば、より幸せになれることは実証ずみです。

また、その日「何に感謝したか」ということを記録する「感謝の日記」をつけるのもよいでしょう。

この日記をつけていると、つけていない人より健康で楽観的で、よく身体を動かし、より幸せを感じられる、という調査結果が出ています。

✴ 一日一回、「その日のテーマ」を決めるだけでこの効果！

「幸せの国の百人」の中にＶＩＰ席を設けるなら、デヴィッド・スタインドルラスト修道士を真っ先に案内したいと思います。

スタインドルラスト修道士はベネディクト会の修道士で、八十代ながら驚くほど若々しく、感謝の気持ちの重要性を書いた著書をいくつか発表し、感謝の気持ちを通して自己啓発を図る組織を創設した人です。

彼は第二次世界大戦中、ナチス占領下のオーストリアで十代を過ごしましたが、二十歳まではでは生きられないだろうと覚悟していました。

食糧は乏しく、雑草スープしか食べられない日が続くこともあったので、飢え死にしなければ、遅かれ早かれ徴兵されて戦場で死ぬのだろうと思っていたそうです。

そんな希望の薄い状況であっても、彼は幸せだったと言います。人生は神から与えられた贈り物だと思っていたからです。その深い感謝の念は、今もまったく変わっていないそうです。スタインドルラスト修道士にとって感謝の気持ちとは何でしょうか。

「感謝の気持ちに理由はありません。もっているものがどんなに少なくても、感謝することはできますよ。感謝とは、あるがままの状況を素晴らしいと考え、一瞬一瞬を満たされた気持ちで生きることです」

それはまさに「わけもなく幸せ」な状態だといえます。

「幸せだから感謝するのではありません。感謝するから幸せなのです」

修道士はさらに、感謝の気持ちをもって暮らすための方法を教えてくれました。

毎日「その日のテーマ」を決めてありがたみを実感するのです。

たとえば「水」をテーマに選ぶ日。

手を洗ったり植物に水をやったり歯を磨いたりするたびに、水に感謝する。「もしここに水がなかったら」と想像し、水があることの素晴らしさをしみじみ嚙みしめる。そうすることで〝今〟を生きていることを実感できます。

自分が生きていること、自分の周囲のことが「当たり前」だと思ってはいけません。

修道士は道路の騒音にさえ「ありがとう」と言うそうです。この世界に生き、この瞬間に道路の騒音を聞いていることの奇跡を知っているからなのでしょう。

✴「ありがとうの儀式」のすすめ

私にはテレーズという古い友人がいます。

テレーズは同居している九十五歳の父親と、毎日「感謝の儀式」を行なっています。

その名も「ありがとうと言おう」の儀式。

テレーズが父親の家に移り住んだのは、彼女自身が離婚したあとで、しかも、母親が亡くなった直後でもありました。父親のチャーリーはかくしゃくとしていましたが、妻を失った悲しみに沈んでおり、二人の暮らしもけっして楽ではありませんでした。

そんなとき、感謝の念をもつことが気持ちを楽にしてくれると聞いて、この儀式を始めたと言います。毎朝数分間、テレーズが出勤する前に、二人は座って感謝することを3つ探し、「ありがとう」と言うのです。

「最初はけっこう苦労したわよ。とても落ち込んでいたから、感謝することなんて一つもないという感じだったの」

それでもテレーズは部屋を見回して、お気に入りの花びんに目を留めると「きれいな花びんであってくれて、ありがとう」と言いました。

妙な感謝の対象でしたが、テレーズにはそれしか思いつきませんでした。

チャーリーも同じでした。感謝する理由を思いつかなくて、テレーズがヒントを出してあげることも多かったのです。

しかし、二人はどんなにバカげていると思っても「ありがとう」と言うだけで、気持ちが明るくなるということに気づき始めていました。

儀式の効果はてきめん。テレーズとチャーリーは以前より幸せな気持ちになることが多くなり、実際うれしいことも増えてきました。暮らし向きもどんどん楽になりました。

「ありがとう」の数は3つから5つに増え、やがて10になり、途中でやめなければテレーズが仕事に間に合わなくなるほどになりました。

あなたが感謝するものが、あなたの周りに増えていく——すでにある愛と幸せをありがたいと思えば、愛と幸せは増えていくのです。

感謝することの素晴らしい効果については、私も同意見です。

私は友人の勧めで、毎晩眠る前に感謝することを5つ書き出すことにしました。友人は三週間続けるようにと言っていましたし、心理学的にも習慣が身につくには三週間必要だと言われているので、とにかくそれだけはがんばってみることにしました。

最初はやはり苦労しましたが、続けていくうちに、その効果はみるみる現われました。結局三週間どころか三年間も続けることになり、落ち込むこともめったになくなったのです。

これは、脳の中のプラスの神経回路がうまく回ってくれたからでしょう。

✴ アメリカ・ハートマス財団の「思い出しエクササイズ」

ハートマス財団は、心臓が健康や幸福にもたらす影響について研究している組織で、その分野では最先端の情報とテクノロジーをもっています。

次に紹介するのはハートマス財団で開発された、愛と感謝の気持ちを高めたいときにいつでも試してみてほしいエクササイズです。

これは気持ちの方向性を修正するために非常に効果的で、心臓からパワーを得ることによってストレスをとり除き、感情のバランスを回復し、気持ちを安定させる効果があります。

① 心臓を意識する

心臓の辺りにぼんやりと意識を集中させます。必要なら胸に手を当て、集中が途切れたら、意識を心臓に戻してください。

②心臓で呼吸する

心臓の辺りを意識しながら、そこに息を送り込んだりそこから息を吐いたりします。これによって思考とエネルギーの集中を維持し、呼吸と心拍リズムを一致させることができます。無理に呼吸するのではなく、穏やかにゆっくり呼吸して、気持ちいいと感じられるリズムを見つけましょう。

③心臓で感じる

呼吸を続けながら、いい気持ちになったときのことを思い出し、そのときの気持ちをもう一度感じてください――大切な人やペットへの優しい気持ち、美しい場所や楽しい経験をしているときの気持ちなどです。そのときとまったく同じ気持ちになれなくてもかまいません。ただ心からその気持ちを感じようとするだけでいいのです。

いい気持ちになることができたら、もう一度①～③までを繰り返し、その気持ちを持続させてください。

幸せを呼ぶ「脳の使い方」8

人を一度許す

誰かに傷つけられたときなどは、「愛情」を優先させるのが難しいかもしれません。

しかし、受けた傷がどんなに大きくても、許さなければ本当の幸せは得られないのです。

人は時に残酷な行為をするものですが、そのような行為ですら究極的には許すことができます。

多くの人は、誰かに傷つけられたなら、相手を恨み、憎み、拒絶して、罰を与えるのが当然だと考えています。しかし、実際にはそれはまったくの逆効果です。

相手を恨んだり憎んだりするのは、自分で毒を飲んで相手が傷つくのを期待するようなもの。自分がますます傷つくだけなのです。

傷を癒し、心を愛で満たすためには、どんな罪でも相手を許すべきでしょう。

脳のストレスをとり去る「思い出しエクササイズ」

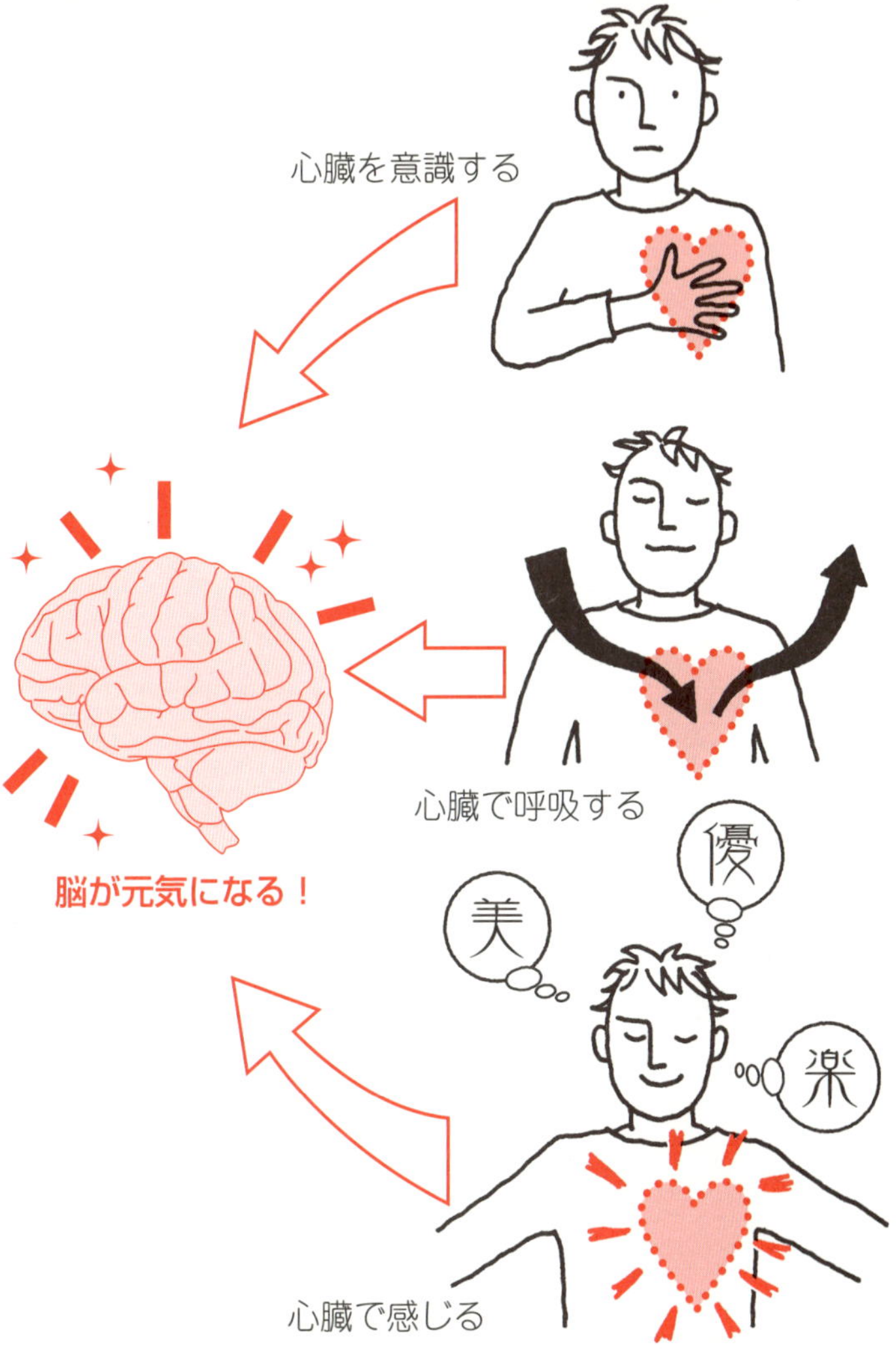
心臓を意識する
心臓で呼吸する
心臓で感じる
優
美
楽
脳が元気になる！

メアリーの物語
本当の自由を手に入れるということ

約二十年前のこと、私の人生において、最大級の衝撃を覚える事件が起きました。家の電話が鳴ったのは午前三時。イヤイヤ受話器をとると、長男の声が聞こえてきました。

「母さん、どうしよう！　ロビーが死んじまった！」

十八歳の末っ子が銃で撃たれたと言うのです。

目の前が真っ暗になりました。ロビーが死んだ、ですって？

やり場のない、打ちのめされた感覚。——絶望。心臓は早鐘のように打ち続けました。

その後、息子を殺した若者ショーンは殺人罪で捕まりました。ロビーとは顔見知りで、口論になって撃ってしまったというのです。

審問会が開かれるまでの三カ月間、私はショーンに会うことも話すことも許されませんでした。それは正しい処置だったと思います。

もし彼に会っていたら、怒りに突き動かされて何をしたかわかりません。もしかしたら、思わず相手の首を絞めていたかもしれません。

ようやくやってきた審問会の日、私は初めてショーンを目にしました。彼を一目見たとたん、私の身体を煮えたぎるような怒りが駆け抜けました。

「なぜあんなことをしたの！」

評決はその場で下り、予想通り二十年から五十年の刑が言い渡されました。審問会が終わると、判事は「ショーンに会わせるので部屋へ来るように」と言いました。

職員の後ろについて判事室への廊下を歩くとき、心臓の鼓動が一歩ごとに速くなるのがわかるのです。

ようやく息子の命を奪った人間に会うのだ。

ずっとこのときを待っていたのだ、私の気持ちをぶつけるときを。

あの男にどんな罵詈雑言《ばりぞうごん》を浴びせてやろうか。

怒りと憎しみでいっぱいで、私にはそれしか考えられませんでした。

ボディ・チェックを受け、小さな鏡板張りのオフィスへ通されたときに見たものは、部屋の隅に立っているショーンでした。

それはオレンジ色の囚人服を着て、手足を縛られ、頭をうなだれたまま身体を震わせて泣きじゃくっている二十歳《はたち》の男の子でした。

彼は一人のさびしい青年でした。親も友だちも、支えてくれる人もいない独りぼっちの男の子、どこかにいる別の母親の息子なのです。

私は職員に、ショーンに近づいていいかと尋ねました。ショーンはそれを聞くと目を上げて、涙に濡れた幼さの残る顔をこちらに向けました。

「ショーン、そばに行ってもいい？」

ショーンがうなずいたので、私は職員にうながされ、ショーンのそばまで進みました。次に私がとった行動に、私自身も含めてその場にいた全員が驚いたのです。

私はショーンの身体に両腕を回し、彼を抱きしめました。

ショーンは私の肩に顔をうずめてきました。

誰かに抱きしめてもらうことなど初めてだったのかもしれません。私の怒りと憎しみは、この瞬間にスーッと離れていきました。

「ねえ、ショーン、あなたを許すわ」

ショーンは驚いたような顔を上げ、私の目を見つめました。

「ロビーが天国ではなく刑務所に行くのだったなら、私はもっとつらかったと思うの。あなたのために毎日祈っているわ」

私はショーンに手紙を書いてほしいと頼み、職員につき添われて部屋を出ました。

どんな評決が下ろうと、もう私の息子ロビーは帰ってこないのです。ただ、もう一人の青年の人生が、刑によって奪いとられただけなのです。

私の行為を理解できないという人もいます。しかし、私はけっしてショーンの罪を見逃したのではありません。「許す」とはそういうことではないと思うのです。

あのとき彼を許したことで、私は心の奥に渦巻いていた憎しみと復讐心から逃れることができました。自由になり、心の平安をとり戻し、生きる力を得て、ロビーの死を受け入れることとさえできるようになったのです。

憎しみはどこかで断ち切らなければ新たな憎しみを生むだけでしょう。私の憎しみは、私で終わりにするのが一番だと、そう思うのです。

✴ お金はかからず、副作用もなく、効果絶大の「クスリ」

メアリーほどつらい経験をする人はほとんどいないと思います。

だからこそ、彼女の物語をここで紹介しました。息子を殺した人間を許すことができるなら、人はどんな人間でも許すことができるはずです。

もし、人を許すのが難しいと思うなら、次のような考えにとらわれているからではないでしょうか。

●許すことは悪事を見逃すことである。
●許すことは相手を自分の人生に引き入れることである。
●憎むことから自分が強くなれる気がする。
●許せば再び傷つけられるのではないか。
●悪いことをした人間は罰せられるべきだ。

本当の許しとは、相手のためにする行為ではありません。それは〝自分のため〟のもの、心の縮小を抑えるための行為なのです。

許すことによって、心に溜めた悪意や怒りを放出し、心の自由を得ることができるのです。

ここに有名なチベット仏教の説話があります。

二人の僧が、監獄を出て数年後に初めて会いました。監獄では看守たちからひどい拷問を受けた二人です。

「彼らを許したかい?」一方の僧が聞きました。

「許すものか! 絶対に許さない!」もう一方の僧が答えました。

「そうか、君はまだ監獄にいるのだね」

許しとは、過去の出来事を消し去ることでも相手を自由にさせてやることでもありません。

アウシュビッツの生存者エヴァ・コールは、ナチスに対しての許しの言葉を公にしました。家族を殺し、彼女の双子の姉妹を医学の実験台にしたナチスを、彼女はなぜ許したのでしょうか。

それは、彼女が長年抱え込んでいた苦しみと憎しみを手放すためでした。

「人は過去の苦しみから逃れて生きる権利をもっています。ほとんどの人にとって、許すことには大きな障害が立ちはだかりますが、それは世の中が復讐を期待しているからです。犠牲者を忘れてはなりませんが、私が苦しみと怒りをもって生き続けることを、亡くなった家族が望んでいるとも思えません。

私は自分のために許すのです。許しは自分を癒すこと、自分に力を与えることです。奇跡の薬と呼んでもいいでしょう。お金はかからず、効果絶大で、副作用もない薬です」

スタンフォード大学のフレッド・ラスキンの研究によれば、同じように傷つけられても、許すことができた人はより心が穏やかでエネルギーに満ち、愛情にあふれた人間関係を築くことができ、病気やストレスを抱える可能性が低いのだといいます。

一方で許すことができなかった人、心に憎しみを溜めたままの人は、心臓病になるリスクが高いそうです。

怒りや拒絶の感情が、病気や悪癖を生み出す大きな要因になるということは、医学界でも認められつつあります。

ラスキンが言うには、心の中で許そうとしただけで、心臓の血管や筋肉や神経系の機能はたちまち向上するそうです。つまり、**許したことを口に出さなくても、ただ許す気持ちになるだけで、身体は健やかになる**ということです。

✷ 自分の中にいる「暴れる子ども」とのつき合い方

「わかってはいても実際に許すとなると難しい」と考えているあなた、あなたはもう大きなハードルを越えています。

「許したい」と思うことが、実は一番難しいのです。

人を許したいと思うときに、極めて効果が高いエクササイズをご紹介しましょう。

① 誰にも邪魔されない場所で座ります。
② 目を閉じて、怒りや憎しみや拒絶を感じる人のことを思い浮かべます。

③二、三回深呼吸して、今の気持ちを感じます。それがどんな気持ちであっても、そのまま感じてください。

④その人がした行為は変わらない、それは過去のことであって、今変えられることは何もない、と考えてください。

⑤その人自身も変わらない、その人はそういう人である、と考えましょう。再び二、三回深呼吸しながらその事実を受け入れます。

⑥その人がそういう人なのは――そういうことをしたのは――苦しんでいるか、未熟なのか、心に傷を負っているからだと理解するようにします。本人は気づいていなくても、**人は自分が傷ついているとき、他人を傷つけようとする**ものです。

「その人も苦しんでいるのだ」と考えて、思いやりの気持ちをもとうと意識します。痛い思いをした子どもが、誰彼かまわず殴ろうとする光景を思い浮かべればいいでしょう。かわいそうだと思えてくるはずです。

⑦そのまま一、二分、静かに座って思いやりの気持ちで胸が膨らむのを――ほんの少しであっても――感じとってください。

まだ怒りが残っていてもかまいません。このエクササイズの目的は、相手への怒りを抑えることではなく、自分の苦しみをとり除くことだからです。少しずつでも心が思いやりのほうへ傾くまで、エクササイズを繰り返すとよいでしょう。

思いやりの気持ちが強くなればなるほど、許しの気持ちは大きくなっていきます。

幸せを呼ぶ「脳の使い方」9 目をハートにして人に会う

人の心は簡単に乾いてしまうものです。

反抗期の息子、意地の悪い同僚、無愛想な店員に対して、どうすれば気分よく接することができるのでしょうか。

乾いた心を潤《うるお》すには、**とにかく誰に対しても目をハートにして会うこと**です。大げさに考える必要はないのです。時には誰かの健康を願うだけで、表情が緩み、心が穏やかになる場合もあります。

いったん優しい気持ちを意識すれば、脳のポジティブな回路もぐんぐん成長していきます。

スカーレットの物語
「考え方」を変えると、身体にも劇的変化が！

私は皮膚の難病に十二年間悩まされていました。

身体は弱り、満足に歩けもせず、いつも家族に頼るばかりの日々で、人生には絶望していたと思います。

そんなとき、たまたま地元に住む仏教僧と会う機会があったのです。

彼に自分の悲惨な状況を話した私は、同情のまなざしと思いやりの言葉を期待したのですが、僧侶は穏やかにこう言っただけでした。

「自分を憐れむのはおやめなさい。人の幸せを考えるようにするのです」

「無理です！　こんな状態なのですよ。自分のことで精一杯です」

私は「彼は何もわかっていない！」と、がっかりしました。

こんなボロボロの身体で人の幸せを願うなんて無理だと思いましたが、なぜかその言葉が心に引っかかり、その日から少しずつ気をつけるようになりました。

まずは家族や友人たちの幸せと健康を、さらに知らない人たちのために、車の中から道行く人たちの幸せを、ついでに自分の嫌いな人たちのことも思いやってみました。

ある日、電動車椅子に乗ってスーパーのレジに並んでいると、明らかに虫の居所の悪そうな女性が私の後ろに並びました。急いでいるらしく、いら立った目を周囲に向けています。カートの中身はあふれんばかりで、少しでも早くレジを通り抜けたそうにしています。

いつもなら、イヤな思いをしないように、こういう人とはできるだけ関わらないようにしていましたし、実際真っ先に頭に浮かんだのは、「何て品のない人かしら。目を合わせないようにしよう」という考えでした。

しかし、そのとき例の僧の言葉――「人の幸せを考えるようにするのです」を思い出した私はこう思い直したのです。

「そう、きっとこの人は今日とてもイヤなことがあったのよ。私だってそういう日もあるじゃない。この人を幸せにしてあげるにはどうすればいい?」

私は振り向いて「お急ぎのようですね」と言いました。

女性は驚いたような顔で、ぶっきらぼうに「ええ、急いでいるんです。遅れそうだから」と答えました。

「私の前へどうぞ」

女性は私のかごの中味が少ないのを見て、サッと首を振りました。「いいえ、大丈夫です」

「どうぞ遠慮なさらないで。私は急いでいませんから。さあ、どうぞ」

変化は劇的でした。

イライラをまき散らし、レジ係をどなりつけそうな勢いだったその女性は、人に親切にされ、気を遣われて、別人のようになったのです。

私の前へとカートを進めながら何度も「ありがとう」と言い、レジがすむと店員にも礼を言って、買ったものを袋に詰め終わると、笑顔で店を出ていきました。

私はすがすがしい気持ちになりました。周りを見ると、誰もが私に笑顔を向けて、言葉を交わし合っているのです――「素敵ね」「気持ちのいい場面だったわね」「今日もいい日になりそうね」。

それからはもっと人を幸せにしたくて、できることはないかと探すようになりました。人のためになろうとすれば、機会はいたるところに転がっているものです。身体を使い、心を使い、お金を使って、まだまだ私は人のために何かをしてあげられる、それはこの上もなくうれしいことでした。

それは一〇〇パーセント人を思う気持ちであり、ただ人を幸せにしたいという純粋な思いです。

自分のために「人が何をしてくれるか」ではなく、人の幸せのために「自分が何をしてあげられるか」を、いつも考えるようになりました。

うれしいことに、それから一年もしないうちに、皮膚の調子がよくなり、生きるパワーもみなぎってきました。

杖なしで歩けるようになり、ジムにも通い始めました。

医者は、病気がひとりでに快方に向かったようだと言って、信じられないようです。

僧に再び会ったのは、初めて会ってから一年後のことでした。

人の幸せを考えるようになって、私の人生がどれほど変わったかを話すと、僧はにっこり笑って「よかったですね！　本当によかった！」と、何度もそう言って一緒に喜んでくれました。

僧侶の教えのおかげで人生の坂を転がり落ちずにすんだ私は、愛情という永遠の力を手に入れることができました。

✴実例――脳をハッピーな感情で満たす買い物術

人の幸せを願うことは、単純ですが、あなたの人生を変える考え方です。

以前なら、行列や渋滞に巻き込まれたりしたとき、すぐにうんざりしてイヤ気がさしたものでしたが、スカーレットの話を聞いてからというものの、気持ちよく待つことができます。

時にはその気持ちを言葉で表すことも忘れないようにしたいもの。

先日空港で、ブリート（メキシコのスナック）を買おうとしたところ、売っているのは不機嫌そうで無愛想な若者でした。一瞬こちらもそっけない態度をとりかけましたが、少しだけ彼のことを思いやることにしました。

彼は一日中立ち通しで次から次へとブリートを焼いているのです。

客たちはこれから南国へでも行くのでしょうが、彼は生暖かいライトの下に閉じこめられたまま、ひたすらブリートを焼き続けています。

しかも、誰に感謝されるわけでもありません。

私は彼の目を見て言いました。

「大変そうね。疲れているでしょう」

若者は一瞬驚いた顔をしましたが、誰かに優しい言葉をかけられて心が和らいだのでしょう、ポテトのおまけつきで、温かい笑顔を返してくれました。

私たちは誰でも、小さな光と愛を注ぐだけで、誰かの一日を少しだけ幸せにしてあげることができます。

慈しみと優しい心を育むために、左ページの仏教の修行をもとにしたエクササイズも試してみてください。

このエクササイズを続けていると、身近にいる人々のことがとても大切に思えてくるでしょう。

この章では、感謝の気持ちを意識し、許すことを心がけ、すべての人に愛を注ぐことを学んできました。

憎しみや恨みは脳の中にネガティブな回路をつくり、愛情や感謝はポジティブな回路を育てます。

穏やかさや思いやりを感じることができれば、あなたの脳はますます活性化します。

「ポジティブな回路」をつくる祈りのエクササイズ

① 静かな場所で座り、目を閉じる。

② ゆっくり深呼吸。息が身体を出入りするのを感じる。
考えは思いのままに巡らせておく。

③ 次のフレーズを心の中で繰り返す。

✴ 私の毎日が無事でありますように
✴ 私が幸せでありますように
✴ 私が健康でありますように
✴ 私が平穏に生きられますように

これを１～２分、心に穏やかさを感じるまで続ける。

④ 家族か友人の一人を思い浮かべて③と同じことを祈る。

⑤ 世の中のすべての人々のためにも、同じことを祈って心の膨らみを感じる。

5

食事・運動・生活……

脳細胞が元気なら、何でも思い通りに！

——タフな脳にする「夜十時ルール」

✴ 脳は「年中無休」の薬局！

「幸せ」とは心の状態を意味するだけではなく、身体の状態をも表わします。そして、人間の身体はもともと幸福であるように設計されているのです。

神経物理学者キャンディス・パートは、幸せと身体のつながりについて、「幸せなとき、人の身体と脳からは、前向きな経験をうながす化学物質――幸せの果汁――が分泌されている」と言っています。

どんなに強力な麻薬も、あなたの頭にすでにある化学物質にはとうてい及びません。

脳の中では毎秒十万回以上の化学反応が起こっていて、多幸感を増す「薬」がいくつも製造されているのです。

例を挙げれば、エンドルフィン（鎮痛作用があり、モルヒネの三倍の効果がある）、セロトニン（不安を鎮め、憂うつをとり除く）、オキシトシン（結びつきの気持ちを生む）、ドーパミン（警戒心と喜びをうながす）などがあります。

これらはいつでもすべての器官、すべての細胞に送り出されるよう準備がされています。

脳内にある「薬局」は二十四時間営業で、好きなときにこれら「幸せの薬」を必要な細胞に供給でき、細胞が幸せになるとあなた自身も幸せを感じるようになります。

細胞を幸せにしていくには、まずストレスや疲れを溜めないようにして、身体から毒素を排出し、新たな毒素を入れないようにすること、そして、脳の中でつくられる化学物質を滞らせないようにすることです。

多くの研究から、**脳でつくられる幸せの化学物質は、日々の行動によって増やすことができる**ことがわかっています。

歌を歌う、リラックスできる音楽を聴く、ペットをなでる、マッサージをしてもらう、子どもを抱きしめる、庭仕事をするといった行動は、幸せの化学物質を増やしてくれます。

「ただ笑顔をつくる」ということでさえ、その効果があるといいます。

人間の行動と脳内の化学物質がいかに、密接に関連しているかの例を挙げましょう。

ある感情を表現するために顔の筋肉を動かすと、それに応じて脳から特定の神経伝達物質が分泌されます。

たとえば顔をしかめると、コルチゾール、アドレナリン、ノルアドレナリンといったストレスホルモンが分泌され、高血圧や免疫機能の低下が進み、不安やうつ状態に対する抵抗力が弱まることがわかっています。

一方で、うつ状態の患者から眉間のしわをとり除くと、うつ状態がなくなってしまったという実験結果もあるのです。

笑顔にはストレスホルモンの分泌を抑え、エンドルフィンなど、幸せをうながす化学物質や免疫力を高めるT細胞を生み出す効果があり、さらには筋肉を弛緩《しかん》させ、痛みを和らげ、治癒の速度を上げる効果も期待できるのです。

笑顔の効果をさらに高めたいならば、声に出して笑うといいでしょう。笑いが最良の薬であることは、さまざまな実験によっても裏づけられています。

「風邪をひく人」が平均より35％も少ないグループの特徴

幸せであることは、健康の秘訣《ひけつ》と言っていいでしょう。二十年以上にわたる調査から、幸福感が免疫機能を高め、病気を予防するという結果が得られています。

● 幸せを感じている人は、平均的な人より風邪を引く割合が三五パーセント少なく、インフルエンザワクチンに対する抗体が五〇パーセントも多くつくられます。

● 幸福感や楽観思考のテストで高得点をとった人は、心血管疾患、高血圧症、伝染病にかかる確率が低いという結果が出ています。

●ユーモアを失わず、いつも自分を幸せだと思っている人は、そうでない人より長生きします。特にガン患者においてその違いは著しく、ガンにかかってもユーモアを失わなかった人は、そうでない人より早期に死亡した割合が七〇パーセントも少ないという調査結果があります。

幸せと健康は比例関係にあります。生活習慣しだいで、疲労や病気を引き起こすことも、エネルギーを拡大させて幸せな人生を送ることもできるのです。

もちろん、健康に十分気を配っていても、病気にかかることもあります。「幸せの国の百人」の中にも健康上の問題を抱えている人がいますが――末期症状の病人さえいますが――彼らにとって、身体の苦痛と幸福感とは相反するものではありません。幸福感は常に彼らの脳の内に存在し、どんな経験をしていようと、心は穏やかで満ち足りているのです。

幸せを呼ぶ「脳の使い方」10

脳と身体に栄養を与える

以前、私は細胞を不幸せにするようなものばかり食べていました。

子どものころは、ハンバーガー、色のついたカップケーキ、「チーズ加工品」のクラッカー、白い食パン、さらにはフライド・ポテト、果物と野菜は、ときどき何かのつけ合わせのニンジン、セロリ、リンゴの三種類を食べるだけ。

疲れやすく、一日何度も冷蔵庫を覗《のぞ》いては、アイスクリームでエネルギー補給をしていました。もちろん飲み物といえば炭酸飲料。

こんな調子で私はどんどん横に成長していきました。

いつも何事にもやる気がわかない上に、その場しのぎの糖分補給は効果がほとんどなく、補給する前よりいっそう疲れを感じたものでした。

本格的に食生活を改善しようと決めたのは、大学生になってから。徐々に甘い物を控えるようになり、野菜中心の食事を心がけるようになりました。加工食品も食べなくなり、おかげで世の中にはおいしい果物や野菜がたくさんあることを知りました。

身体に悪い物を食べなくなってから、エネルギーが満ちあふれてくるような感じがし、身も心も軽くなって、自分自身をとり戻したような気がしました。

エネルギーや心の軽さが食べ物と関係していることは、科学的にも証明されています。

✳「脳細胞の栄養」をよく考えた食事法

気持ちよく生きていくための基本は、身体の中の自然なバランスを維持すること。食事はそのために重要な役割を果たします。

この本は食餌療法のテキストではありませんが、細胞を幸せにするための大まかなガイドラインを示していきます。

① 加工されていない新鮮なものを食べる

加工されていない新鮮な食べ物をバランスよくとることによって、脳に必要な栄養が行き渡り、幸せの化学物質がたっぷりと生み出されます。

脳の栄養が十分でなければ、化学物質のバランスが崩れ、アドレナリンの分泌が活発になり、ストレスを和らげるホルモンが不足します。

「加工されていない食品」とはどういうものかというと、「より自然に近い状態のもの」と考えてください。パックや缶に入っているものは、何らかの処理が施され、保存され、見栄えよく収められています。言ってみれば〝偽の〟食べ物です。

スーパーに行ったら店の入り口付近に並んだ果物や野菜、新鮮な肉や魚を買うようにして、店の奥に棚積みされたパックや缶や箱に入ったものはなるべく避けるようにします。穀類は有機栽培された全粒のものを、肉や乳製品もできるだけ有機飼育されたものを選びましょう。値段は高いかもしれませんが、医者にかかることを思えば安いものです。

② 水分を多くとる

水分が不足していては、細胞は幸せにはなれません。何といっても人間の身体はほとんど水でできているのですから！

食事でとった栄養を十分に吸収するためには、水に含まれる水素と酸素が必要です。空腹感が、実は水分不足からきている場合も多いのです。次にお腹が空いたと思ったら、スナック菓子に手を伸ばす前に、まず水を飲んでみるといいでしょう。理想的には、五五キロの人で、一日二リットルの水を飲むのがよいといわれています。

③ 幸せを阻害する食べ物を避ける

● 砂糖を控える

私が話を聞いた専門家は、口を揃えて健康における砂糖の害を説いています。砂糖は強い習慣性があり、脳内のバランスを崩し、憂うつや不安を引き起こし、気だるさやエネルギーの低下を生んで、午後三時ごろになると猛烈な眠けを引き起こす原因になります。

人工甘味料は、砂糖と同様の害があるほかに、悪い副作用も付随します。

糖分をとるならば、なるべく自然に近い形、たとえば果物などから摂取するようにしましょう。

●炭水化物を減らす

炭水化物は〝全粒〟がキーワードです。白いパンや白いご飯、白いパスタなどの精製された炭水化物は血糖値を急激に変化させ、気分をコロコロ変えてしまいます。

現代人の食生活はでん粉質と精製された炭水化物にあまりにも頼り過ぎていますが、それらを玄米や雑穀に切り替えるだけでも精神的にずっと落ち着くでしょう。

●カフェインを排除する

頭をすっきりさせたいとき、多くの人はコーヒーなどからカフェインを摂取します。カフェインは脳の化学物質アデノシンの働きを妨害し、結果として血中のアドレナリンを増やす作用があります。

コーヒーや炭酸飲料を飲んだ直後は、神経が刺激され、頭がすっきりし、やる気が出てくるかもしれませんが、その効果のピークは三十～六十分後です。ピークが過ぎればやる気も急激に下がります。

コーヒーなどを飲む代わりに、カフェイン抜きの緑茶を飲むといいでしょう。

お茶は抗酸化作用によって細胞を幸せにするだけでなく、エネルギーの維持にも効果があるといわれています。

✷五分でできる「脳の健康チェック」

栄養心理学の専門家ジュリア・ロスは、私たちの不幸の原因は「危機的な栄養不足」にあると述べています。

彼女によると、幸せをうながす4つの神経伝達物質を増やすことが大切だと言います。

これらの神経伝達物質はすべてアミノ酸をエネルギー源にしており、神経伝達物質のうち一つでも少なくなると、身体に何らかの問題が生じてくるのです。

- 「セロトニン」が多いと、前向きで、自信にあふれ、適応力があり、穏やかである。
- 「セロトニン」が少ないと、ネガティブな考え方をしがちで、強迫観念を抱き、不安や焦燥感に駆られ、熟睡できない。

●「カテコールアミン（ノルエピネフリン、ドーパミン、アドレナリンなど）」が多いと、エネルギーにあふれ、明るく機敏である。
●「カテコールアミン」が少ないと、生気がなく、憂うつで、反応が鈍い。
●「GABA（ガンマアミノ酪酸）」が多いと、リラックスしていてストレスを感じない。
●「GABA」が少ないと、緊張し、ストレスを感じ、気分が沈みがちである。
●「エンドルフィン」が多いと、気分がよく、喜びや幸せを感じる。
●「エンドルフィン」が少ないと、涙もろく、ちょっとしたことで傷ついてしまう。

あなたの神経伝達物質がどうなっているか、次の「判定テスト」で確かめてください。

次に挙げる傾向があなたに当てはまるなら、その点数を書いていってください。パートごとに点数を合計してそれぞれ見比べてみます。

合計が基準点より高い、あるいは点数は低いけれど、ある一定の傾向が強いという場合、アミノ酸が不足している可能性があります。

必要とするアミノ酸は、サプリメントなどによって摂取するとよいでしょう。

- 月経前症候群、あるいは更年期のうつ状態がある。 3点
- 暑い日は大嫌いだ。 3点
- 宵っ張りである。あるいは眠りたくても眠れないことが多い。 2点
- 夜中に目が覚める、眠りが断続的で浅い、または朝まだ薄暗いうちに目が覚める。 2点
- 夕方以降、甘いものやスナック類を食べたり、お酒を飲んだりする習慣がある。 3点
- 運動をするのは、ここまでで当てはまった悪い傾向から逃れるためだ。 2点
- 原因不明の筋肉の痛みや、あごの痛みやこわばり、歯ぎしりなどがある。 3点
- 自殺の衝動に駆られたり、自殺を考えたりしたことがある。 2点

あなたの合計点数 ____________

合計点数が12点以上なら……

気分を落ちつけるセロトニンが不足している恐れがあります！

脳の健康チェック①

セロトニンは心を「ホッ」とさせてくれる
セロトニン判定テスト

次の項目の中に、自分に当てはまるものがあれば、その点数を合計していってください。

- ネガティブに考える傾向がある。どちらかというと悲観的で、残った水を「半分もある」ではなくて「半分しかない」と考えるほうだ。　3点
- 心配や不安を覚えることが多い。　3点
- 自信がもてないことが多い。自分を悪く言ったり罪悪感を覚えたりすることが多い。　3点
- 頑固である。一つのやり方に固執することが多い。完璧主義、潔癖性、極度のきれい好き。パソコンやテレビ、あるいは仕事からなかなか離れられない。　3点
- 天気が悪いと憂うつになり、秋や冬には気分が落ち込みがちだ。　3点
- すぐイライラしたり、我慢できなくなったり、トゲトゲしくなったり、腹を立てたりする。　2点
- 恥ずかしがり屋、あるいは恐がりである。高い場所や飛行機に乗ること、狭い空間、人前で話すこと、クモ、ヘビ、橋を渡ること、人ごみ、家を留守にすることなどを恐ろしく感じる。　3点
- 不安やパニックに襲われて、動悸や息切れを感じたことがある。　2点

脳の健康チェック②

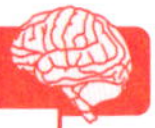

GABAは興奮を「クールダウン」させる

GABA判定テスト

- 仕事に追われてプレッシャーを感じる。期限に間に合わないのではないかと心配でならない。　3点
- リラックスしたり気楽に考えたりするのが苦手だ。　1点
- 体がこわばったり、緊張したりすることがよくある。　1点
- すぐに動揺したり、挫折感を覚えたり、ストレスにくじけそうになったりする。　2点
- 冷え性である。手足がすぐに冷たくなる。　3点
- 太りやすい体質だ。　2点
- 落ち込んで、立ち直れないと思うことがよくある。　3点
- 自分が危なっかしい人間に思えることがある。　2点
- まぶしい明かりや騒音、化学煙に弱い。サングラスは必須アイテムだ。　3点
- 食事を抜いたり、食事の時間が遅れたりすると、ひどく気分が悪くなる。　3点
- リラックスしたり心を落ち着けたりするために、タバコ、アルコール、食べること、薬などに頼っている。　2点

あなたの合計点数＿＿＿＿＿＿＿＿

合計点数が８点以上なら……

リラックス効果のあるＧＡＢＡが不足している恐れがあります！

脳の健康チェック③

カテコールアミンは「がんばる」気力をもたらす

カテコールアミン判定テスト

- いつも憂うつである――退屈、無気力、無感動だ。　3点
- 心にも体にもエネルギーが少ない。疲れを感じやすく、身体を動かすのがおっくうだ。　2点
- 熱意や意欲がわいてこない。　2点
- 集中力がない。　2点
- 冷え性である。手足がすぐに冷たくなる。　3点
- 太りやすい。　2点
- 頭をすっきりさせるために、コーヒーや砂糖などの〝興奮剤〟が必要である。　3点

あなたの合計点数 ＿＿＿＿＿＿

合計点数が６点以上なら……
やる気アップに必要なカテコールアミンが不足している恐れがあります！

脳の健康チェック④

エンドルフィンはストレスへの抵抗力を高めてくれる

エンドルフィン判定テスト

- 傷つきやすく、心身ともにデリケートだ。 （3点）
- とても涙もろく、悲しいテレビ番組などですぐに泣く。 （2点）
- つらい問題を避ける傾向がある。 （2点）
- 何かを失ったときの悲しい気持ちから、なかなか立ち直れない。 （3点）
- 身体や心の痛みを何度も経験した。 （2点）
- つらいことを忘れるため、あるいは快感やなぐさめを得るために、チョコレート、ワイン、ロマンス小説、タバコ、カフェインなどにハマっている。 （3点）

あなたの合計点数 ＿＿＿＿＿＿＿＿

合計点数が６点以上なら……

心を強くするエンドルフィンが不足している恐れがあります！

幸せを呼ぶ「脳の使い方」11

エネルギーを増やす

車を快適に走らせるためにエンジンを休ませ、燃料を補給しなければならないように、私たちの身体にも休息が必要ですが、人は往々にしてそれを忘れ、がむしゃらに突き進もうとします。

身体のバランスを保ち、自然な喜びを感じるためには、適度な休息をとり、呼吸を整え、ほどよい運動をする必要があります。

東洋医学では古くから、身体の中に活力の源があると考えられてきました。それは**中国では「気」、インドでは「プラナ」と呼ばれ、これが満ちてくると、身体の機能が活性化され、治癒力が向上し、幸福感を遮っている感情がとり除かれるといいます。**

中国で昔から行なわれてきた「気功」は、この活力を養うための健康法です。気功法を教えているチュンイ・リン先生もまた、「幸せの国の百人」の一人です。

リン先生の物語
気功で人生が変わった！

私は中国の山間の村で生まれました。裕福ではありませんでしたが、両親にはきちんとした職があり、二人とも愛情深く優しくて、家族は幸せに暮らしていました。

私が八歳のとき、文化大革命が始まり、毛沢東をリーダーとする共産党は、自分たちとは異なる政治思想をもつ人々をことごとく排除しにかかりました。

普通の人々が刑務所に入れられ、善良な人々が何千人も殺されました。国中が瞬く間に混乱の渦に巻き込まれたのです。

ある晩、家族で食事をとっていると、突然家に兵士たちが押し入ってきて、父を捕まえると、両手を後ろ手に縛って連れ去りました。

父は身に覚えのない容疑で逮捕されてしまったのです。あとで聞いたところによると、六カ月後に釈放されるまで、刑務所に入れられ、労役場で働かされていたそうです。

そしてある夜、今度は母がいなくなりました。これもあとで聞いた話では、逃げなければ殺されていたといいます。

家には、年とった乳母《うば》と私と二人の弟、そして妹だけが残されました。

それから数日後、両親と親しくしていたはずの近所の人々がうちにやってきて、私たちを住み慣れた家から追い出しました。

人々は、私の両親と同じ目に遭いたくなくて、村の権力者の言いなりになっていたのです。

四人の子どもと年とった乳母は着の身着のまま放り出され、それから三日間、通りの隅で身を寄せ合うようにうずくまっていました。

三日目の夜、とうとう村のグループの間で銃撃戦が始まりました。通りを弾丸が飛び交い、いたるところで爆発音がしていました。

私たちは恐怖に震えあがりながら、通り沿いのドアを次々と叩き、中へ入れてほしいと懇願しましたが、誰も入れてはくれなかったのです。

仕方がなくある家の前で体を寄せ合っていると、突然門が開いて、中から老女が顔を見せました。それは政府が「悪魔」と呼んでいるその土地の地主の女性でした。

老女は「まあ、かわいそうな子どもたち。外は危ないわ。さあ、中へお入り」と言い、私たちを招き入れました。

この女性は自分の危険をかえりみず、私たちをかくまって食事をさせてくれました。

驚いたことに、家の裏の小屋には私たち以外にも多くの人々がかくまわれていました。

私たちはそれから何週間もその小屋で過ごしましたが、やっと両親が友人を介して私たちの居場所を突き止め、迎えにきました。

文化大革命の中で経験したことは、その後何年間も、私の人生に影を落としました。すべてに裏切られたような気すらして、家族や周りの人々から心を閉ざすようになってしまったのです。

やがて高校生になった私は、あるとき気功を学び始めたのですが、それが心を穏やかにしてくれることに気がつきました。

当時、学生の多くは高校を卒業すると、軍によって田舎へ連れていかれ、農場で働かされていました。私も五年間、食べ物もろくにない状態で奴隷のように働きました。

そのころの私の唯一の楽しみは、夜中に寝床を抜け出して、気功をすること。その時間だけは、心を落ち着けて、生きる力を感じることができたのです。

やがて毛沢東は亡くなって、側近たちも追放され、中国はしだいに平穏をとり戻していきました。私は大学に入ることができ、人生は好転していきましたが、相変わらず心を閉ざした暗い人間に変わりはなく、孤独で友だちもいませんでした。

どうすれば生きる喜びを感じられるのだろう、私は必死でその答えを求めていました。

ある日バスケットボールをしていた私は、事故からひざの軟骨を傷めてしまい、歩くこともままならなくなりました。

そんなとき、ある有名な気功師のセミナーに参加するチャンスがありました。彼のセミナーを受けて難病を克服した人が大勢いるというのです。

最初の動きから、エネルギーが火山のように噴き出してくるのを感じました。「気」が流れだし、身体はひとりでに動きだし、自然と喜びの声があふれてくるのです。

それは身体が「気」に反応している証拠。しかし、それはしだいに収まり、三十分後には気持ちのいい疲労感に包まれました。

そのあとすぐに、ポカポカする感じがつま先から全身を駆け巡りました。皮膚だけでなく、筋肉や骨も、冬の氷が春の陽差しに溶けるように、体中がほぐれていく——。

すべて終わって立ち上がったとき、私に奇跡が起きていました。

ひざの腫《は》れがなくなっている！　驚いたことに、痛みもほとんど消えていました。

この方法を毎日続けて二カ月後、ひざの痛みはまったくなくなり、身体に「気」が流れることで穏やかな気持ちになって、人生のすべてがうまく回りはじめました。

気功のおかげで、私は家族を苦しめたすべての人々を許すことができるようにもなったのです。

✴リン先生の「脳をよくするウォーキング」

運動を習慣にしている人のほうが、気持ちよく暮らすことができます。リン先生のように、運動によって人生を変えることさえ可能でしょう。

気功に限らず、ウォーキング、ジョギング、水泳、ダンス、ヨガなどで定期的に身体を動かすと、頭の中の幸福感はなおいっそう高まります。

さらに**脳に酸素が供給され、身体に前向きな影響を与えるような化学物質やホルモンの分泌が促進されます。**

ハーバード大学で精神医学を研究しているジョン・レイティは、スポーツ選手を対象に、ある調査を行ない、その結果、運動のあとには幸せの化学物質——ドーパミン、セロトニン、ノルエピネフリン——が増えているということがわかりました。

また、うつ状態を改善するのに、運動のほうが処方薬より効果があったという報告がいくつも出されています。

運動はまた、不安をとり除いたり予防したりする働きがあり、運動後四時間ほどは、気持ちを穏やかにする効果があります。何か運動したあとは、すぐに誰かと口論できるかというと、きっと激しい言い争いはできないはずなのです。

運動はまた、喜びの化学物質エンドルフィンを増やすため、運動後には爽快感は五倍に増幅されます。

コロンビア大学医学部助教授ヘンリー・S・ロッジは、運動することによって細胞レベルでどのように活力が行きわたるのかをこう説明しています。

「人の細胞は一日に一パーセントずつ入れ替わり、三カ月ごとにすべての細胞が入れ替わります。運動をすると、細胞を成長させようとする化学物質が筋肉から放出されますが、逆に運動せずにゴロゴロしていると、筋肉は細胞を死滅させる化学物質を放出するようになります」

つまり一月に何か運動を始めれば、四月までにはエネルギッシュな身体に生まれ変わっているということです。

気功が効果的なのは、一つひとつの動きに意識を向けられること。どんな運動でもそうですが、意識して動くことによってその効果は倍増します。

リン先生は、ウォーキングをしながらこう考えるといいます。

「私のエネルギーの通り道はだんだんきれいになっていく。周りの自然にどんどん心が開いていく。終わるころにはエネルギーに満ちあふれているはず」

このように考えながら身体を動かすことによって、運動から得られる幸福感は劇的に高まるでしょう。

身体のエネルギーを高めるのは、いすに座ったままでもできます。ストレスや不安を感じたり、憂うつになっていたりする人に共通するのは、たいてい両肩が上がっていること。

そのことに気づいたら、無理に肩を下げようとするのではなく、いったん思いきり肩を引き上げて、それからゆっくり力を抜いていくといいでしょう。これを三、四回繰り返すことで、ストレスや不安はとり除かれます。

✷脳細胞すみずみにまで「新鮮な酸素」を送り込む方法

一週間食事をとらなくても、二、三日水を飲まなくても、人は生きていけますが、数分間息をしなければ、生きていられるかどうかは疑わしいもの。だからこそ呼吸は身体にとってもっとも重要な機能だといえます。

千年も昔から、さまざまな宗教、文化において、健康と幸せを増進する呼吸法が生み出されてきました。

呼吸法が不安や憂うつや慢性的な疲労を解消するというのは、ここ三十年の研究によってしだいに解明されてきました。今ではＦＤＡ（アメリカ食品医薬品局）が、高血圧症の治療に呼吸トレーニングを勧めているくらいです。

さてここで、自分が今どんな呼吸をしているか、腹部に手を当てて確かめてみてください。呼吸に合わせて手が動きますか。

……おそらくほとんどの人は胸で呼吸しているので、動かないと思います。

アーユルヴェーダ（インドの伝統医学）の医師ジョン・ドゥイラールによると、

「呼吸が浅くても生きてはいられますが、それでは酸素が細胞レベルにまで行き渡りません。幸せをうながす化学物質が細胞の中を流れるようにするためには、深く呼吸し、細胞の中の通り道から老廃物をとり除く必要があります。

そこで、腹式呼吸は細胞の浄化にとても効果があります。体内に〝プラナ〟とか〝気〟と呼ばれるものを増やしてくれ、気持ちのいい状態をつくってくれるのです。

私たちは毎日約二万六千回呼吸していますが、どの一回もムダにせず深く呼吸するように心がければ、確実に体調はよくなります」

ということだそうです。

呼吸の仕方は感情と密接に結びついていて、不安なときは呼吸が速く浅くなり、悲しいときは深いため息となり、怒っているときは短く強い息となるように、それぞれの感情には特有の呼吸の仕方があるのです。

この結びつきは逆にも働き、不安や悲しみや怒りの呼吸をすれば、脳の中でそれらの感情を生み出す部分が刺激され、ネガティブな感情が付随します。

不安を感じたときは、〝お腹から〟五回ないし十回深く呼吸してみるといいでしょう。そうすれば、脳内に酸素が行き渡り、すぐに気持ちが楽になります。

✴「夜十時ルール」の脳へのすごい効き目

睡眠の大切さは誰でもわかっているはずなのに、八時間以上眠るようにと言われれば、ほとんどの人が無理だと言います。

仕事は忙しいし、子どもたちには手がかかるし、テレビも観たいし、心配事は山ほどあるし……、どこにそんなに寝ていられる時間があるのですか、と言いたいようなのです。

アメリカの大手企業でセミナーを担当していたとき、幹部たちが睡眠時間の短さを競っているのを幾度となく耳にしました。

「毎晩五時間しか眠れないんだよね」とある幹部が言うと「そんなに寝られるんだ？　僕は四時間以上眠ったためしがないよ」と別の幹部が言います。

「仕事が多い日にはさらに睡眠時間を削らなくてはいけない……」と、まるで「短眠は成功の秘訣」であるかのような口ぶりですが、これはけっして自慢できることではありません。

睡眠の質と人の幸福感に相関関係があることは、アメリカ国際医療センターも認めているところです。

二〇〇四年、「サイエンス」誌に驚くべき記事が掲載されました。

「睡眠の質は、家計状態や夫婦関係よりも、日々の幸福感に影響を与える」といいます。

毎日を気持ちよく過ごすには、給料の額や夫（妻）の機嫌より、よく眠ることのほうが重要だというのです。

アーユルヴェーダには「真夜中前の一時間の睡眠は、真夜中過ぎの二時間の睡眠より価値がある」という教えがあります。

私の知っているアーユルヴェーダの医師は百歳を超えていますが、髪は豊かで、笑顔は魅力的、目は誰よりもキラキラと輝いています。

彼が私に教えてくれたのは、

「気持ちが落ち込んだときには続けて三日間、夜十時（できれば九時）には眠りなさい」

ということでした。

これを実行すると三日後には世の中が違って見え、身体にエネルギーがあふれ、元の明るい自分に戻っていることは間違いありません。

私はこの教えを「夜十時の幸福行き列車」と呼んで、なるべく乗り遅れないようにしています。

あなたも今日から三日間、十時には眠りに就くことを最優先にしてみてください。

同時に、次に紹介する気功のエクササイズも習慣づけるとより効果的でしょう。

とても簡単ですが、考案者のリン先生いわく「もっともシンプルなものこそ、もっとも効果がある」のだそうです。

これで、身体（特に肺）のエネルギーの通り道から、よどんだ障害物をとり除くことができます。

「生命エネルギー」を高める脳に効く気功

① 正しい姿勢でリラックス

足を肩幅よりやや広げて立ち、ひざをわずかに曲げる。顔は笑顔に。背筋を伸ばして肩の力を抜き、ひじを少し外へ出すようにしながら腕と指を開く。

② 深く呼吸する

鼻で深呼吸を三回繰り返す。身体全体で呼吸するつもりで。息を吸うときは、エネルギーが身体に入ってきて腹部に集まるところを想像し、吐くときは、細胞から痛みや苦しみが煙のように宇宙へ放出されているところを想像する。

③ 宇宙と一体化

目を閉じて心の中で言う――「私は宇宙の中にある。宇宙は私の中にある。宇宙と私は一体です」

④ エネルギーを感じる

息を吸いながらゆっくり腕を広げた分、エネルギーが拡大し、息を吐きながらゆっくり腕をもとに戻した分、エネルギーが縮小したと想像する。
②～④を5～6分続け、最後に3回、ゆっくり深呼吸して、1～2分余韻に浸る。

幸せを呼ぶ「脳の使い方」12

身体の声に耳を傾ける

「幸せの国の百人」は、いつも身体の声に注意深く耳を傾けるようにしています。「そろそろ休みたい」「もっと水が欲しい」「風呂に入りたい」「運動したい」など、身体の欲求を知ることは、自分を慈しむことであり、誰でもすぐに身につけられる幸せの習慣なのです。

私たちの身体はいつも、今何をすればいいかを的確に知っているものですが、ついうっかりその声を無視しがちです。

身体を気にかけてやり、尊重していれば、身体は私たちにとって〝かけがえのない友人〟になってくれることでしょう。

✴ 目をつぶったとき、何が聞こえてくるか

まず、いつも自問してください――「これは私の身体が本当に求めていることだろうか」

と。

「私の身体は何を食べたいのだろう」

「私の身体は今リラックスしたいと思っているのではないだろうか」

「エネルギー補給するために、私の身体は何を欲しているだろう」

きちんと耳を傾ければ、あなたの健康と幸せのためにいったい何がベストなのか、身体はいつでも教えてくれます。

そのときこそ「心のＧＰＳ」が役に立ちます。今計画していることが、エネルギーを拡大させるのか、あるいは縮小させるのか、身体の声を聞いてみてください。


作家でありセラピストでもあるマーサ・ベックによれば、人は身体の声を聞くことによって「心の年齢を逆戻りさせる」ことができるのだそうです。

ベックは、たとえ受け入れたくないことであっても、**自分の身体に何が起こっているかを知ることが大事だ**と言いますが、多くの人にとっては身体の老化を認めるのはつらいことであり、なかなかそれができないようなのです。

「あなたが今感じていることを拒絶するのではなく、すべてを受け入れるのです。そうすれば、身体の声が聞こえてきて、身体が何を求めているかがわかります」

赤ちゃんやペットの世話をするときの気持ちを想像し、それと同じ優しさと愛情を自分の身体にも注いであげると、脳の中の若々しさを司る部分が活性化します。

歳をとってもなぜかとても若々しい人と、ぐっと老けこむ人がいますが、それはどれだけ自分の身体に愛情を注げるかにかかっているのです。自分のことが嫌いでいつもシワを気にしてばかりの人は、ますますシワを増やします。

逆に、身体の言葉を理解し、自分に優しく接すれば、たとえちょっとシワが増えようと、いつまでも気持ちよく輝いて暮らしていけるのです。

さて、次のエクササイズで自分の身体の声を聞いてみてください。今、あなたの身体が求めていることがわかります。自分に優しくすることは、脳をいたわることとイコールです。

脳と体の「若返りエクササイズ」

① 静かに座って目を閉じる。
鼻から2〜3回深呼吸。

考えることが多すぎて
頭がパンク寸前!?
肩が凝《こ》る!?
最近体力が
落ちたような……

② 身体の中の、不快感や緊張を覚える箇所を探す。その感覚をそのまま受け入る。（もし不調が見つからないなら、そのままリラックス）。

③ 不調な部分に、気持ちよくなるにはどうしてほしいかと尋ねる（ないときは、身体全体に、もっと気持ちよくなるにはどうしてほしいかと尋ねる）。

④ それは散歩をしたり、芝生に寝ころんだり、マッサージを受けたりすること？　あるいは、のどが渇いたり何かを食べたくなったり、笑いたくなったり泣きたくなったりするかもしれない。

⑤ 全身（特に不調部分には集中して）に、愛情を送り、メッセージをくれたことに感謝する。

私の身体、ありがとう！

6

夢を楽々実現する、ハイパーエネルギーの秘密！

――わけもなく楽しく、
ハッピーな日々をつくり出す脳の力《パワー》

✴「なぜかハッピーな人」が脳のためにしていること

山頂で朝を迎えたとき、初めて我が子を抱いたとき、満天の星空を見上げたときなど、この世は奇跡でできていると思える瞬間があるでしょう。

誰でも一度くらいは、人生に強い畏敬《いけい》の念をもったことがあるはずです。自分がちっぽけに感じられると同時に、「ああ、生きていてよかった」と心から思う瞬間です。

そんなときに「神とつながる」といわれています。

それを神と呼ぶかどうかは関係ありません——大いなる力、創造主、天、精霊、あるいは仏と呼んでもいいでしょう。とにかく何か「人智を超えた大きな力」とつながっているという状態を経験したことがありますか。そのつながりが深ければ深いほど、人生は豊かで喜びに満ちたものになります。

喜びと敬服の念を感じながら生きることで、脳はどんどん元気になります。

「幸せの国の百人」にはキリスト教徒、ユダヤ教徒、仏教徒、ヒンズー教徒、イスラム教徒、あるいは無宗教の人もいますが、どの人も大きな力とのつながりを感じていて、生きていることへの感謝と驚きと畏敬の念をもっていることが共通しています。

多くの成功者は、世の中のすべてを理解できなくても、人生の全部を思い通りにできなくても、それはそれでかまわないと思っています。大きな愛と英知の存在を信じていて、流れに身を任せて生きています。

たとえば私にとって、瞑想は大いなる力とつながるための大切な時間です。幸せを感じるための方法はいろいろ試してみましたが、瞑想が一番効果的なようです。

調査によっても、精神的なものに興味をもって暮らしている人（これは特定の宗教組織に入っている人という意味ではなく、生活の中に精神性を見いだしている人）は、そうでない人より満たされた人生を送っているといわれています。

より幸せな結婚生活を送り、より子育てが上手で、状況に対する適応能力がより優れていますし、学生なら、より成績がよく、飲酒やタバコに手を出す割合が少ないといわれています。

精神に目を向けることは脳や身体全体にとってもいいことで、血流をうながしたり、免疫力を高めたり、脳卒中やガンや心臓病を予防したりするという研究報告もあります。

この章では頭の深くにある精神性を高める習慣をお教えしたいと思います。

幸せを呼ぶ「脳の使い方」13

一日一回、瞑想する

人生とは美しく神秘的な海を泳いでいるようなものですが、泳ぎを止めてその美しさを見ようという人はなかなかいません。脳がその美しさに気づく力を養うために、一日十五分でいいから、瞑想などで脳内奥深くに目を向けるようにしましょう。

その十五分が難しい、という人が多いのはわかっていますが、これほど価値ある時間の使い方はありません。

瞑想だけでなく、自然の中を散歩するもよし、一人静かに座るもよし。また、穏やかな音楽を聴いたりすることが、精神性を高めるきっかけになることもあります。

大切なのは、効果を感じることができ、長続きする方法を見つけていくことです。

女優であるゴールディ・ホーンの話を参考にしてみてください。

ゴールディ・ホーンの物語
初めての瞑想で得た「神秘の体験」

美しい女性に案内されて、静かな部屋へと入っていく私。窓からカリフォルニアの暖かい風が吹き込んで、カーテンをひるがえし、髪を揺らしていく。

いすが一つ置いてある。女性は私をそこに座らせ、耳元で短いマントラ（聖なる祈りの言葉）をささやきました。「この言葉を何度も繰り返してください」とだけ言って、彼女は部屋を出ていきました。

ドアが閉まり、部屋には私だけがポツンと残されました。

見えない力や人生の神秘には、いつも魅力を感じていました。今から、私は自分の内側を探求しにいくのです。

目を閉じて、ほほをなでる風を感じながら、言われた通りにマントラを唱えはじめます。部屋のどこかで香がたかれ、いすの周りにはバラの花びらがまかれています。瞑想はこれが初めての体験。

急に笑い出しそうになる。いかにも七十年代風だわ。花に囲まれて、今話題の瞑想法を試す女優だなんて。

おっといけない。考えてしまっている。マントラに戻ろう。頭に浮かぶ考えは、すぐに消えていくらしいのです。「それをただ見ていればいいのです」と先ほどの女性は言いました。「信じたり判断したりしてはいけません。それが消えていくのを待って、マントラに戻るのです」

そうは言っても、それがけっこう難しいのです。

マントラを唱えるうちに、身体から力が抜けていくようです。呼吸が落ち着いてきて、息をしているのかどうかもわからなくなってきます。胸の鼓動もゆっくりと、血の流れも緩やかになっているのがわかります。

考えは次から次へと巡ってくる——会わなければならない人、行かなければいけない場所……。考えの合間にある静寂ができるだけ長くなるように、考えを払いのけていきます。

マントラの原始的な音とリズムを感じていると、言葉にできない感覚が襲ってきました。心の奥の深みへどんどん落ちていき、旧友のような懐かしい何かと再び結ばれたような感覚です。

その深い場所はいつもそこにあり、いつも喜びと創造性にあふれている。そこは私自身の源、すべてを理解している場所。その部分と強く結ばれて、大きな喜びを感じ……また笑い出したくなってきました。

ダメダメ。

考えはどんどん離れていき、頭の中はどんどん静かになっていきます。

意識はまるで、熱い湯の中に入ったティーバッグのように、ゆっくりと〝無〟を吸収していきます。無――それが、考えの合間のスペース。

マントラを唱えるたびに、〝無〟が吸収されてティーバッグはどんどん重くなり、さらに深く沈んでいきました。

そして、逆にその豊かな成分は徐々に心の奥へと染み出していくのです。

しばらくして――どれだけの時が流れたのかはわかりませんが――場所の感覚がなくなってきました。豊かな人生をいっぱいに満たしたグラスが見えます。どこか懐かしいような、とても安心できるものと、私の心は溶け合ったようです。

私を満たすものは、かつて経験したことのなかった清らかさ、透明さ。そこには自我も自意識もなく、思考すら存在しません。ただ私がここにいるというだけ。

ああ、私は幸せなのだ。

この体験こそが心からの幸せというものだったと思います。

✴「ふるい」を水で満たせ——この不思議感覚を味わう

瞑想を習慣にしている人がどれほど満足して生きているか、瞑想法を教えている私はいろいろな人の例を見て、よく実感することがあります。

瞑想は、東洋の精神文化として七十年代から欧米でも広く行なわれるようになりましたが、実はユダヤ教やキリスト教、アメリカ先住民の宗教においても、何千年も前から同じことが実践されてきました。

瞑想には、マントラ（聖なる祈りの言葉）を唱える、呼吸に集中する、黙想する、イメージする、音楽を聴くなど、さまざまなタイプがありますが、要は心静かに自分のもっとも深い部分を見つめ、純粋な状態に戻るということがポイントです。

瞑想がどのようなものかをわかりやすく説明した話があります。

ある賢者が弟子たちに瞑想とはどういうものかと尋ねられ、こう答えました。

「それは、ふるいを水で満たすようなものです」

弟子たちはわけがわからなくなりました。ふるいを水で満たすことなどできるはずもありません。

ある弟子はそれほど難しいものなのだと解釈し、またある弟子は一瞬しか効果が得られないものだと解釈しました。彼らはがっかりして、そこで瞑想をやめてしまいましたが、一人の弟子が賢者の前に進み出て、「それはどういうことなのでしょうか」と説明を求めました。

賢者はその弟子を海辺へ連れていき、「これを水で満たしてみよ」とふるいを手渡しました。弟子はふるいで水をすくってみようとしましたが、当然水はすぐに流れ出てしまいます。

「貸してみなさい。こうすればよいのです」

賢者が弟子の手からふるいを受けとって海に投げ入れると、ふるいはたちまち沈んでいきました。

「これで、ふるいは水で満たされました。そして永遠に満たされたままです。瞑想とはそういうもの。精神を少しずつすくうものではなく、精神の海に入って、日々そこに浸っているということなのですよ」

高僧の脳は「左前頭葉前部」が活発だった

瞑想の第一の目的は、普段の生活を穏やかなものにすることです。この四十年、瞑想については実に多くの研究がなされ、それが人の身体や思考や感情に強い影響を与えることがわかってきました。

七十年代初めに生理学者ロバート・キース・ウォレスが行なった研究によると、瞑想が血圧の正常化、不安の緩和、免疫機能の向上などをもたらし、身体や心の健康に非常に有益であることが明らかになりました。

その後、数多くの研究が行なわれ、今では瞑想はストレス対策の方法として広く認められています。

瞑想はストレスに効くだけではなく、脳の中の幸福感や思いやりを司る部分を活性化して、人を幸せへと導いてくれるのです。

カリフォルニア大学のポール・エクマンが行なった仏教僧を対象とした実験では、僧侶たちの扁桃体《へんとうたい》（アドレナリンのスイッチ）は瞑想中にオフの状態になっていることがわかりました。

さらに、瞑想の前後、僧侶たちは特に穏やかな状態で、何が起ころうとほとんど動揺しないということも判明しました。

前述のリチャード・デヴィッドソンもまた、仏教僧を対象とした実験を行なっています。瞑想が神経の柔軟性や脳の機能にどのような影響を与えるかを解明するためのもので、主旨に賛同したダライ・ラマ十四世が、僧侶たちに参加を呼びかけました。

実験は、五種類の瞑想をしている間、それぞれの瞑想による脳機能の変化を測定するというもの。三十年間で一万時間以上の瞑想経験をもつ僧侶たちに加えて、瞑想を始めて間もない一般の人たちも被験者として参加しました。

結果、脳機能にもっとも大きな変化が見られたのは、思いやりの気持ちを育むための〝慈愛〟の瞑想が行なわれているときでした。

この瞑想では、熟練した僧ほど脳の左前頭葉前部の機能が、右前頭葉前部より活発になっていたのですが、これは、幸福感や思いやりなどポジティブな感情が、不安や憂うつなどネガティブな感情より大きくなったことを示しています。

この状態は、瞑想が終わってからもしばらく持続しました。

科学ジャーナリストのシャロン・ベグリーは、瞑想の効果が持続するのは、脳の神経回路が柔軟であるからだといいます。

「(瞑想によって)**ネガティブな感情を生み出す脳の神経回路はしぼみ、思いやりや幸福感を生み出す神経回路が太くなります**」

三十年も瞑想を続けている仏教僧でなくても、この神経回路の柔軟性を得ることができます。デヴィッドソンの実験では、瞑想を始めて三カ月、一日二十分から三十分しか瞑想をしていない人でも、脳機能に幸福感の高まりを示す大きな変化が見られました。

✴ 自分の中の奥深い部分を癒す「一分間」

毎日一定の時間、座って瞑想するのはとてもよいことですが、瞑想のやり方はそれだけではありません。

「幸せの国の百人」の一人、チベット仏教僧であるアナン・サブテン・リンポチェが、いつでもどこでもできる瞑想法を教えてくれました。

それは一日七回、ただ立ち止まって〝今〟を感じるという方法で、私は「ポーズ・プラクティス」と呼んでいます。

この方法は極めて簡単で、ただ自分の呼吸を意識しながら〝今〟――幸せを感じられる唯一の時間――に集中するだけ。

これを習慣にすると、よりバランスのとれたものの見方ができるようになり、穏やかな気持ちや新鮮なエネルギーを感じられるようになります。

また、自然と触れ合って心の落ち着きを得るだけでも瞑想になります。

「幸せの国の百人」の一人、カレンは森や海辺を散歩しているうちに、いつの間にか呼吸のリズムに合わせて足を動かしていて、風や波の音、鳥のさえずりを聞くと頭と心が徐々に静まっていくのが感じられるといいます。

外へ出られないときでも、窓から木々や雲を二、三分眺めれば、身体の緊張がほぐれ、自分の中の深い部分が落ち着きをとり戻します。

可能であれば一日にほんの二十分ほど、静かな場所を見つけて次の瞑想法を試してみてください。

①静かな場所に座って目を閉じます。

②五、六回深呼吸しましょう。吸ったり吐いたりする息を意識しながら行ないます。

③頭上から白く明るい光の円柱が下りてきて、頭を光で満たしているとイメージしてください。

④白い光は頭から首へ、そして胸へと下りていきます。心臓が広がり温かくなっていくのを感じてください。

⑤光は腕、胴、背骨、腰へと下りていき、両脚を通ってつま先に至るとイメージしてください。

⑥身体全体が温かく明るい光に満たされるのを感じましょう。そのまま十分間、考えや感情に身を委《ゆだ》ねてください。思考をコントロールしようとせず、頭に浮かんでくるも

のをそのまま受け入れます。集中したいときは、呼吸を意識するとよいでしょう。

⑦心の穏やかさと静けさを感じ、しばらくその気持ちに浸ってください。二、三回深呼吸してその気持ちを味わいます。それが理由のない幸福感のエッセンスです。

⑧ゆっくり目を開けてください。穏やかな気持ちをもち続けたまま普段の生活に戻りましょう。

幸せを呼ぶ「脳の使い方」14

自分とよく相談する

私たちは何かを決めるとき人に相談しますが、一番頼れる相談相手は、実は自分自身なのです。私たちの奥深くの〝頭の声〟は、いつでも相談に乗ってくれるでしょう。

人生の目的や人間関係、仕事についても、その声は大きな存在とつながっていて、必ず答えが返ってくるはずです。では、実際にどうすればよいのか見てみましょう。

● 書き留める

何かに書き留めることで頭の声を聞くことができます。

静かに座って自分の内側に耳を傾けて、思いついたことは何でも〝正直に〟書きます。あなた以外には誰も見ないのですから、安心して文字にしてください。

● 本を開く

好きな本を開いてみましょう。適当なページを読んでみれば、そこにメッセージを見つける場合があります。

そんな偶然はめったにないと思うかもしれませんが、実はかなり高い確率で見つかり、しかも的を射た答えだったりするのです。固定観念がくつがえされ、新しい見方ができるようになる瞬間です。

● サイン（啓示）を探す

これもめったにない偶然だと思われるかもしれませんが、あることがサインとなって問題を解決できたという話は頻繁《ひんぱん》にあります。

私と夫はかつて、ある家を借りようかどうか迷ったことがあります。

家を見にいったとき、入り口のところで目の前を一頭の美しいシカが横切りました。シカは私の大好きな動物だったので「これはきっといいサインだわ」と、そう思いました。

実際その家は理想的で、すぐに契約を結び、今住んでいる家に移るまでの二年間、その家で楽しく暮らすことができました。

これがサインだったのかどうか、それは誰にもわかりませんが、それをサインと考えたおかげで自分の本当の気持ちを知ることができ、いい選択ができたのだと思います。

答えはいつも自分の中にあるのだとわかっていれば、何が起こっても自信を失いません。

頭の声に耳を傾けるためのトレーニングを紹介します。

①静かな落ち着ける場所に、筆記用具を用意して座ります。
②頭の声に質問したいことを、できるだけ簡潔に書き留めます。
③目を閉じて数回深呼吸しましょう。
④書き留めたことを、自分の内側に向かって尋ねてみる。しばらくして何か思いついたら、いい悪いは判断せず、とにかく書き留めます。思いつくことをどんどん書き出していって、何も思いつかなくなるまで続けてください。
⑤書いたことを読み返し、その中に答えを探します。必ずいい答えが見つかるはずです。たとえ完璧でなくても、ちょっとした言葉やフレーズがヒントをくれる場合もあるでしょう。

幸せを呼ぶ「脳の使い方」15

「大いなる自然の力」を感じる

「幸せの国の百人」は、宇宙の力を信じていて、宇宙が人生に与えてくれるものをすべて受け入れようと考えています。

宇宙とは、我々を包んでいる大きな世界全体のことであり、自然や森羅万象と言い換えてもいいかもしれません。幸せな人々は、「支援の法則」（宇宙はいつもあなたを支えてくれている）を信じています。

多くの人にはそれができません。身の回りのことをすべて思い通りにしようとして、宇宙を信じて身を委ねようとは思わないのです。

しかし、〝自分が今できるだけのことをして、あとは大きな力に任せておけば、すべてがベストな方向へ向かっていく〟と考えましょう。そうすれば、心はいつも穏やかで、焦ったり不安になったりしなくなります。

✴ まるで「空中ブランコ」を飛び移るように

昔から、成功者は「降伏」が一番の得策であると認識していました。ここでいう降伏とは、戦いに負けることではなく、自分の限界を知り、自分よりもっと大きな力に身を委ねることを意味しています。

大いなる力を信じて身を任せることは、安心感と自由を私たちにもたらし、私が「受け入れる心」と呼んでいるものを生み出します。

「受け入れる心」とは、起こったことに対して「イヤだ！」と言って抵抗する代わりに、「はい、どうぞ」とすべてを招き入れる気持ちのこと。

人生の一場面は「空中ブランコ」のようなものだと考えてください。あなたはサーカスの曲芸師です。

「受け入れる心」をもつことは、今つかんでいるブランコを放して、前から来るブランコへフワッと飛び移るようなものです。

いったん自分の枠をとり払い、ブランコが必ずやって来ることを信じて手を放すと、そこにはスムーズな流れが生まれます。信じて「降伏」すれば、一瞬一瞬がなめらかに、美しい

脳に「未来」を信じさせる

抵抗すると人生は「戦い」になる

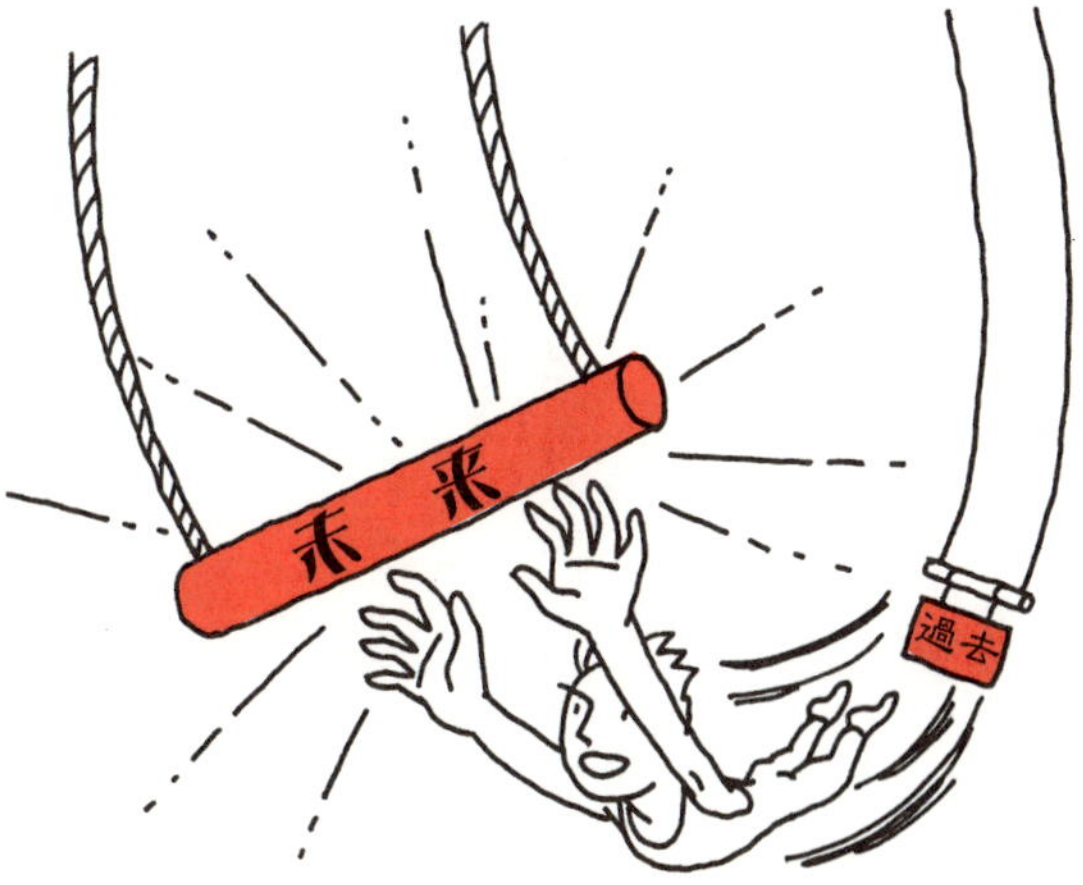

チャンスのブランコは必ずやってくる！

映画の一コマのように、通り過ぎていくのです。

元牧師のビル・バウマンは、私が知っている中でも特に穏やかで何事にも動じない人物です。スーパーで気軽にあいさつしてくるような、きさくな普通のおじさんに見えますが、そのにこやかな笑顔の下には強い精神力が隠されています。

ビルは、恵みを受けて幸せに生きる秘訣《ひけつ》を教えてくれました。

「何事も受け入れることを身につけるのです。天からどんな恵みがもたらされるかを考えず、どんな恵みでも受け入れる気持ちをもって、信じて待つことです」

私たちは〝自分の人生は自分で切り拓《ひら》くもの〟という考え方に凝《こ》り固まっていることが多いのですが、むしろ、困ったときにはいつも大きな力が助けてくれると考えて、「何が起こってもいい」という覚悟をもつことが幸せへの第一歩なのです。

信じて待っていると、あなたの脳はどんな小さなきっかけやチャンスも見逃さなくなります。

人生の出来事一つひとつを「ただの偶然」とか「たまたま」というような感覚で見過ごさないでください。

これでは人生は無味乾燥な、ただの時間の連続になってしまいます。

むしろ、驚くような展開もラッキーとしかいいようのない出来事もすべて、見えない力が与えてくれたチャンスだと考えて喜ぶようにしてください。

「私って、今日はツイてる！」

「こんな偶然、なかなかない！　こんなところに居合わせるなんてすごい」

と偶然の素晴らしさを噛みしめるようにするのです。そうすると、「大いなる力」が働いて、もっと素晴らしいことをあなたにもたらしてくれるようになるでしょう。

7

眠っている才能を目覚めさせる脳の刺激法

——あなたの脳の得意技を探す「ミニ・パッションテスト」

✴「頭の中を覗《のぞ》いてみる」と答えが書いてある

誰の人生にも意味があるのは間違いないのですが、道行く人に「あなたが生まれてきた意味は?」と尋ねれば、おそらくほとんどの人が「うーん……さあねぇ」と言うだけではないでしょうか。

人生の意味や目的がはっきりわかっている人も世の中にはいますが、多くの人は、自分がどこへ進めばいいのか見えない迷路へ迷い込んでいるのです。

自分が何らかの目的をもってこの世界に存在していると感じられれば、どんなにか満たされた気持ちになるだろうというのは想像に難くないのですが、では、たとえば「あなたの人生の意味」とは何だと思いますか。

自分の頭の中に思い浮かぶことは何ですか。

多くの人は仕事に意味を見いだそうとしますが、「人生の意味」とはそれより広義です。

たとえば私の場合、人々を励まして最高の人生を送ってもらうことに意味を見いだしています。たまたま今は自己啓発の講演家であり作家ですが、たとえば教師や音楽家、秘書や医師や園芸家だったとしても、同じ目的をもって生きていたと思います。

人生の意味とは、特定の仕事の中ではなく、「大きな目的」の中にあります。

調査によれば、人生に意味を見いだし、それを目的にして生きている人は、そうでない人より幸せを感じていることがわかっています。

調査を行なった心理学者エドワード・ディーナーは、幸福感を生み出す一番の要素は「人生に意味を見いだして……長いスパンの目的をもち、それを楽しむこと」だと言っています。

目的をもって生きている人は――それがどんな目的であろうと――健康で長生きするという研究結果はよく知られていることでもあります。

満ち足りた気持ちになれる人は、極めて単純な作業であっても目的意識をもってとり組んでいます。車のオイル交換をするにも、家族の食事をつくるにも、そこに何らかの意味を見いだしているのです。

偉大な指揮者トスカニーニについてのこんな逸話があります。

八十歳の誕生日に、これまでで一番素晴らしい仕事は何だったかと質問されたとき、トスカニーニの息子が父の代わりに答えました。

「父にとっては一番というものはないでしょう。交響曲の指揮をしていようと、オレンジの皮を剝《む》いていようと、そのときしていることが人生で一番大切なのです」

目的をもって生きることは、エネルギーの拡大につながって、あなたの人生の一瞬一瞬を意味あるものにしてくれます。

医師で人道活動家でもあったアルベルト・シュヴァイツァーはこう言いました。

「成功が幸せのカギなのではない。幸せが成功のカギなのだ。今していることを好きになれば、成功はおのずともたらされる」と。

目的をもって生きることは、あなたを満たされた気持ちにし、周りの人々を幸せにしていきます。

幸せを呼ぶ「脳の使い方」16

情熱の傾け先を常に探す

もちろん誰もが目的をもって生きたいとは思うけれど、実際にどうすればいいのでしょうか。

答えは簡単。「立ち止まってみること」です。

立ち止まって、忙しい生活を離れ、心の中をのぞいてみることです。恐れることなく正直に、「私が本当にやりたいことは何だろう。心から好きだと言えることは何だろう。私にとって本当に大切なこととはいったい何なのか」と尋ねてみることです。

✴「やみつき状態（フロー）」に脳を導け

あなたの胸を膨らませてくれるものは何でしょうか。魂を揺さぶってくれるものは何ですか。そして、心から望むこととは何でしょうか。

ほとんどの人は日々の生活に追われていて、それを考える余裕すらもないのです。もしかしたら考えてもよくわからないかもしれません。ヒントはあなたが関心をもったり引きつけられたりすることの中にあります。

心理学者ミハイ・チクセントミハイは、人が何かに没頭しているときの純粋な快楽状態を「フロー（流れ）」と呼びました。

これは、時が止まっているように感じられたり、実際には何時間も経っているのにほんの一瞬に感じられたりして、完全に集中している精神状態のことです。

ペンシルベニア大学ポジティブ心理学センターによれば、「フロー」を生み出すような活動をしているとき、お金のためといった外的要因が目的ではなく、単にその活動自体が目的で行なっているのですが、結果、人間はそのことで大きな満足を得られるといいます。

自分が日常生活で「フロー」を感じられるのは何をしているときでしょうか。情熱を傾けられるものは、きっとその方向にあるはずです。

脳は「フロー」を感じれば感じるほど活き活きします。

それに、引き寄せの法則によれば、毎回心から望むことを選んでいれば、あらゆる面で自分の目的が反映され、人生で手に入れたいものが引き寄せられてくるのですから。

〝好きなことをしていれば、情熱がわいてくる〟ということを私に教えてくれたのは、歯科医だった父です。父は仕事が大好きで、七十二歳で引退したときも、できれば続けたいと思いながらしぶしぶ退いたのです。

引退後、新しく打ち込めることを見つけようと、それまでの仕事の何が好きだったのかを考えてみたところ、それが手で細かい作業をすることだと気がついたのだそうです。まるで芸術作品をつくっているかのように父は仕事をしていました。

そこで、似たような楽しみを続けるために七十二歳で刺しゅうを始め、すぐにそれに夢中になり、そのうち刺しゅう作家としてカリフォルニア州のコンクールで賞をとるまでになりました。

父が八十五歳のころ、ある日家を訪ねると、父はそれまででもっとも大きな作品にとりかかっていました。「生命の木」をモチーフにした見たこともない緻密なデザインです。

「これ、仕上がるまでにどれくらいかかるの?」

「そうだなあ、四年くらいで仕上げるつもりでいるのだがな」

驚いたことに、八十五歳で四年のプロジェクトを始めようとしているのです。表現することへの情熱は父に強い目的意識を授けていました。

作品は完成し、父の最高傑作として、母とともに五十三年間過ごした居間の壁に今でも飾られています。


次に紹介するのは作家であるジャネット・アトウッドが開発した「ミニ・パッションテスト(情熱を探すためのテスト)」です。このテストで理想の人生に近づくために何が必要かを見極め、それを実現させてください!

① 紙を用意して「もし私が○○なら、人生は理想的です」という書き方で、人生を理想的なものにしてくれると思う要素を十個以上書き出します。たとえば……
「私が人の励みになるような本を書くことができるなら、人生は理想的です」

「私が健康でエネルギッシュなら、人生は理想的です」

「私が友人や家族と素晴らしい関係を築けるなら、人生は理想的です」

今度は、あなたの人生を台無しにすると思う要素を書き出します。たとえば……「嘘をついたり他人のものを奪ったりする人とつき合っているなら、人生は理想的ではありません」と書き、それを「正直でいつも他人に与えることが好きな人に囲まれているなら、人生は理想的です」と書き換えます。

② あなたの周りで、これといった目的をもたずにいる人を四人思い浮かべてください。彼らの口グセは何でしょうか。彼らは何に関心を向けているでしょうか。彼らは周りの人とどう接しているでしょうか。そうした特徴を5つ挙げてみてください。

そのうち一つでもあなた自身に当てはまっていないでしょうか。当てはまっているなら、それがいかに自分の目的達成を阻んでいるか、考えてみてください。

③ 今日から一週間、②であなた自身に当てはまった行動を改め、①で書き出したことを目標にして生活してください。

幸せを呼ぶ「脳の使い方」17

直感を大切にする

本当に望むことがわかっていれば、一瞬一瞬どのように行動すればいいかは直感的にひらめくものです。

それは単に楽な道を選ぶということではなく、目的を達成するためならどんなことでも、**たとえ苦しいことやつらいことでも、やり遂げてみせるという勇気と粘り強さをもつ**ということです。

直感に従えば、内なる目的意識に沿って行動することができ、上辺《うわべ》だけの義務感から動いたり、人からの称賛を求めたりすることはなくなるでしょう。

ロンダ・バーンは幸福に満ちた女性で、直感に従って生きています。「自己啓発分野で史上最大の現象」と評された映画と書籍『ザ・シークレット』（角川書店）の制作も、直感に従ったものでした。映画『ザ・シークレット』は、当初オンラインで公開された上で書籍にもなり、全世界で爆発的な人気を獲得しましたが、そこにいたるまでの道のりは平坦とは言えなかったようです。

ロンダの物語
『ザ・シークレット』が生まれるまで

私はずっと幸せな人間でした。愛する家族がいて、温かい友人に囲まれ、テレビプロデューサーというおもしろい仕事で一定の成功を収めることができていました。

しかし数年前、仕事で心身ともに疲れきっていたところへ不幸が重なり、私はある夜、母との電話を切ったあと、言い知れぬ悲しみで涙が止まらなくなりました。

そのとき、二十三歳になる娘が一冊の本を手渡してくれました。

「お母さん、これを読めばきっと気持ちが楽になるわよ」

それはウォレス・ワトルズの『確実に金持ちになる「引き寄せの法則」』（三笠書房）。金持ちになる方法を書いた本がどうして悲しみをとり除いてくれるのか、私は不思議に思いましたが、言われるままに本を開きました。

読み始めると、驚きの連続でした。そこには、お金だけでなく、人生すべてにおいて幸福を手に入れる方法が詳《つまび》らかにされていたからです。

どうやら、私は世界でもっとも貴重な秘密を手に入れたようです。

「考えたり感じたり、言ったりしたりすることが、自分自身に引き寄せられてくる。現実をつくっているのは結局自分である」

この考え方に則《のっと》って毎日を過ごしてみると、人生はまったく違うものになったのです。すぐに、多くの人にこの考えを伝えたい、と思うようになり、テレビや映画に携わる仕事をしている私は、「映画をつくろう」と考えました。

プロダクションの仲間とともに、その映画――タイトルは『ザ・シークレット』――を完成させました。脚本、小道具、インタビュー、そして配給にいたるまで、制作のすべての段階で「引き寄せの法則」に則って行動しました。

法則の正しさがもっとも証明されたのは、配給先を決定するとき。

最初は映画館やテレビなど、通常の展開方法を考えていました。しかし、映画の完成を待たずして、テレビでの放映は無理だとわかり、完成したあとに、劇場配給への道も閉ざされてしまったのです。

世界中のテレビネットワークや映画配給会社に当たりましたが、引きとり手はどこも見つからず、完成したフィルムをもって立ち往生するのみでした。

これで行き詰まりかと思いましたが、私はあきらめませんでした。今は目的に向けての〝方法〟を模索している段階だと思い直したからです。

「引き寄せの法則」によれば、私がすべきことは〝目的〟に集中し、必ず成功はもたらされるとポジティブに受けとめ、そのときが来るのを信じて待つことです。

するとと突然不思議なめぐり合わせで、私たちの前に、オンライン動画の配信を行なっているヴィヴィダスという企業が現れました。ヴィヴィダスのストリーミング技術を使えば、ダウンロードしなくてもインターネットのサイト上でビデオを観ることができるというのです。

それまでは映画の予告編をオンラインで流すことはあっても、一本の映画をまるまるサイト上で流そうとは誰も考えませんでした。

しかし、ヴィヴィダスは、それをやろうと言ってくれました。

こうして映画『ザ・シークレット』は、史上初のストリーミング・ビデオとして世界中の人々のもとに届けられることになりました。

それは長い間私が夢見ていたことでしたが、人からは無理だと言われ続けてきたことでもありました。

『ザ・シークレット』は映画公開の新しい道筋を切り拓いたと言えます。

従来なら、一本の映画はまず劇場で公開されるかビデオやDVDとして販売されますが、『ザ・シークレット』は、まずオンラインで配信され、DVDがインターネット上で販売され、そのあとで町の店頭に並べられました。

映画の製作会社や配給会社がノウハウを尋ねてきて、「そんな方法を考えつくなんて、すごいですね。どういう目論見《もくろみ》だったのですか。計画どおりでしょう」と言われましたが、もちろん最初からそんなことを考えていたはずがありません。

ただ感謝と喜びの気持ちを忘れずに、夢の実現を信じて手探りで進んできただけなのです。

目的は、「引き寄せの法則」を見つけたときからはっきりしていました。それは、今ある喜びを感じ、その喜びをあらゆる手段を使って世界中の人々と共有すること。

時には間違った方向に進んで身動きがとれなくなることもありましたが、そんなときには宇宙から声が聞こえてきました。

「待って！　待つの、ロンダ。それは間違った道よ」

私はすぐに引き返し、その声に感謝して「わかったわ。あなたの言うとおりにする」と信じて待つ。するとやがて、まったく異なる道が見えてくるのです。

ただ、私は落ち着いて「来るべき時」を待つことにしているのです。いつか時が満ちれば――動き出すべき瞬間が来れば――必ずその声が教えてくれるはずだから。

✴ 人間の「直感」と「何となく」はけっこう正しい

ロンダのように、目的がはっきりしていれば、ただ直感に従って進むだけでよいのです。直感は必ず進むべき道を教えてくれるはずなのですから。

『ザ・シークレット』の中で作家ジャック・キャンフィールドは、暗い夜道を運転するときの話をしています。

「ヘッドライトの明かりは五〇メートル先までしか照らしませんが、道をそれずに目的地に向かうには十分です」と。

直感は人生のヘッドライトのようなもの。正しい道に沿って、次にとるべき方法を少しずつ教えてくれるのです。

あなたがすべきことは、それに従って進むことです。

直感に従って行動しているときは、その効果や結果を意識していないことがほとんどです。

花から花へと飛び移っているミツバチは、それが植物の受粉を助け、花の命をつないでいるとはまったく意識していません。ただ蜜を集めるために花の間を飛び回っているだけでしょう。

建築家で哲学者でもあったバックミンスター・フラーは、「小さな行為が集まって、驚くような結果を生む」このような現象を「プリセッション（前進）」と呼びました。

私はこの「プリセッション」を何度も経験しています。

二十年前、書くことは大の苦手だったので、作家になるとは夢にも思っていませんでした。実際、初めて勤めた会社でも、私の文章下手は周知の事実でした。ビジネス・レターを書かなければならないときは、できるだけそれを後回しにし、どれだけ考えてもいい文章を思いつかなくて時間切れになったときは、仲のいい同僚に泣きついて代わりに書いてもらっていたほどです。

しかし、その会社をやめて企業の社員教育講師になったとき、講師の口に空きがあったのは、ビジネス・ライティングのクラスだけでした。

「まさか！　この私がビジネス・ライティングを教えるなんてありえない」

最初はそう思いましたが、よく考えてみるといい機会かもしれませんでした。その仕事を引き受けて、文章の書き方や編集の仕方を勉強し、ある程度のスキルを身につけたのです。

六年後に初めての本を書くことになったとき、そのスキルは大いに役に立ちました。それは私が計画したことではなく、人生が用意してくれたこと。回り道に思えても少しずつ前進していれば、いつか大きな成果に結びつくということを証明する貴重な経験でした。

世の中には例外的に自分の人生の意味をはっきりと自覚している人もいますが、たいていは自分には他人にはない何かがある、と感じていても、それをどう表現していいかわからない人が多いものです。

必要なのは自信をもって前に進もうとすることで、直感に従って道に沿っていけば、チャンスは思いがけないときにやってきます。

直感力を磨くため、一日の始めにこのエクササイズを試してみてください。

① 目を閉じて、数回ゆっくり深呼吸します。

② 次の3つのことを自分に問いかけます。

● 人生において、私は何をすればよいでしょうか。

● 人生において、私はどこに向かえばよいでしょうか。

● 人生において、私はどういった発言をすればよいでしょうか。

③ 答えに従って〝道をそれないように〟一日を過ごします。

こんな小さなことが脳の中で「大きな結果」を生む!

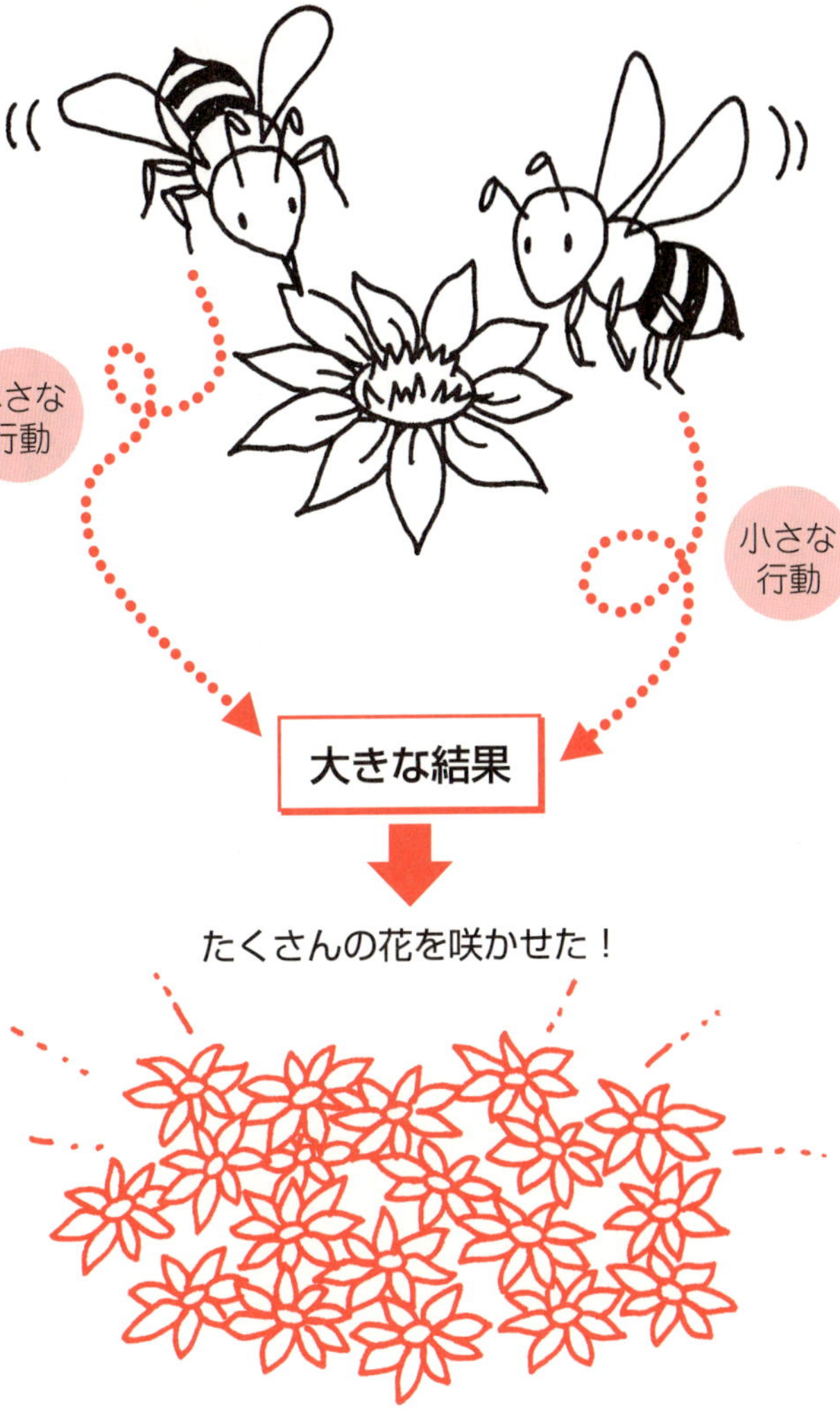

幸せを呼ぶ「脳の使い方」18

目を向ける範囲を広げる

「幸せの国の百人」の話から、彼らが地位や名声や富のためではなく、もっと大きな目的のために生きているということがおわかりいただけましたか。なかには富や名声を得た人もいますが、それは情熱をもって大きな目的にとり組んだ結果の副産物にすぎないのです。

小さなことであっても、世の中にとって大切だと思うことを心がけたいもの。

何を大切と思うかは人それぞれで、どういったことにとり組むかは関係ありません。野生動物の保護に尽力する人もいるでしょうし、差別の撤廃、貧困の撲滅、子どもたちの教育環境を向上させようとする人もいるでしょう。

何をするかは重要ではなく、何か大きな目的のために貢献しているという気持ちが、プラスの神経回路づくりに役立ちます。

世の中をよくしたいという気持ちは、何を食べるか、どこで買い物をするか、どんな車に乗るかといった、日々の選択の中にも現れます。

私の友人に、地元の農家から直接買った有機野菜しか食べない女性がいますが、もちろん出費はかさむものの、彼女はそれが世の中のためになると信じてお金を払っているのです。

たとえ大きな出費をしなくても、千円や二千円の寄付で、貧しい家族に食料を送ることも、彼らが牛や羊を買ったり、作物の種を手に入れたり、小さな商売を始めたりするのを手助けすることもできます。

お金を使うのではなくても、時間を割いたり関心を寄せたりすることで、世の中に貢献することもできるでしょう。

他の人のためになろうとすることが心の穏やかさや健康や幸福感につながるということは、数々の研究によって証明されているのです。

次のエクササイズは、次の文章を誰かに読んでもらったり、自分で読んで録音したものを聞いたりしながら行なってください。どちらもできない場合は、だいたいの指示を覚えて頭の中で言いながらしてもよいでしょう。

① 邪魔の入らない静かな場所で、座るか横になります。目を閉じて、お腹からゆっくり呼吸して、身体の力を抜きます。

② あなたの心は膨らんで、どんどん軽くなっていきます。そして身体を離れ、上へと昇っていきます。

③ ずっと上まで昇っていって、あなたは地上を見下ろします。さらに宇宙まで昇っていって、私たちの住む地球を眺めます。美しくゆらめく青い地球が見えます。広い雲の間から、海や陸地がのぞいています。もっと目を凝《こ》らすと、山や森、谷や町が見えてきます。

④ 大勢の人間と動物たちが、互いに深く関わりながら暮らしています。あなたを含め、すべての命がつながっています。あなたは地球の一員なのです。では自問してみましょう。

「この地球の一員として、私はどんな役に立てるだろう」

⑤ どういうふうに役に立てるか、探してみましょう。地球上にはさまざまな問題が起こっているはずです。絶滅の危機にある動物、不治の病、汚染の進んだ海、恵まれない子どもたち……。あなたにできることはありませんか。自分が住んでいる町や身の周りに、あなたの力を必要としている場所はありませんか。どんな小さなことでもいいのです。

⑥ いろいろな場所を見たあとで、地球の一員であることに感謝しながら、身体に戻っていきましょう。宇宙から眺めたことを思い出して、あなたに何ができるかもう一度考えてみてください。世の中に役立つ方法はありませんか。

目的をもって生きるために、情熱を傾けられることを探し、直感を大切にして、小さなことでもいいから始めましょう。そうすれば脳はあなたにチャンスを与えてくれるでしょう。

8

こんな人とつき合えば、脳はいい刺激を受ける

――「アクビがうつる」ように、人の脳のレベルも伝染する

✴「親友の名」を五人すぐ挙げられますか

庭にある陽の当たるベンチに座って木や花々を眺め、一日の疲れを癒す――その瞬間が私は好きです。

あなたの周りの人間関係は「庭」に例えられます。美しいバラやダリアもあれば、雑草が生えている場所もあるでしょう。気持ちよく暮らせるかどうかは、どんな人間関係を築いているかで決まってきます。素晴らしい人々に囲まれていれば、満たされた人生がずっと簡単に手に入り、それに、人間関係を見ればその人が幸せかどうかを言い当てることもできます。

シカゴ大学が行なった調査によれば、親しい友人を五人以上もっているグループは、そうでないグループより、自分を「とても幸せだ」と考えている人が五割も多いという結果になりました。

別の調査では、自分を「不幸せだ」と考えている人の三分の二が、人間関係より財産や成功を重視する人でした。

幸福研究の第一人者エドワード・ディーナーとポジティブ心理学の父マーティン・セリグマンが行なった調査では、幸福値が高かった人々の共通項は、〝信頼できる友人がそばにいる〟ということでした。

同じことが「幸せの国の百人」にもいえます。数が多いとはかぎりませんが、百人にはそれぞれ信頼できる人がそばにいるのです。

しかし、彼らは「自分のために何かしてほしい」と思って周りの人たちとつき合っているのではありません。もちろん家族や友人との時間は大切にしていますが、それと同じほど自分だけの時間も大切にし、**誰かに幸せにしてもらうのではなく、むしろ自分の幸せを周りの人に分け与えたいと考えているのです。**

✷ 人は無意識に「相手の脳」を見ている

私たちの脳は他人を意識するようにできている、ということが、ここ最近の脳神経科学の研究でわかってきました。すれ違いざまにちょっと頭を下げただけの人に対しても、脳は〝神経の橋〟をつくってしまうのです。

この〝神経の橋〟とは、誰かと話していて、気づかないうちに相手の表情やしぐさや口調をまねてしまうことです。目の前でアクビをされたら自分も――眠くもないのに――アクビが出てきたことはありませんか。

これは私たちの脳の「ミラー・ニューロン（鏡の神経）」と呼ばれる神経のせい。誰かの行動を、あたかも自分の行動のように映し出すのです。

しかも、驚くべきことにこのミラー・ニューロンは、感情をも映してしまうのです。

虫の居所の悪い人が入ってくると、部屋にいるすべての人がそれを感じとってしまう、あるいは、感極まって涙を流す人を見ると、こちらまで胸が一杯になるといったことも、ミラー・ニューロンの仕業です。「他人との関係がうまく築けない自閉症の原因は、ミラー・ニューロンに損傷があるためだ」と言っている研究者もいます。

心理学者ダニエル・ゴールマンによれば「感情は風邪のように広まっていく」といいます。しかも「感情的なつながりが長く深い間柄ほど、その感染力も強くなる」ということなので、ポジティブな感情ならいいものの、怒りや憎しみを拾ってしまっては大変です。

私の場合は、一緒に住んでいる夫からいつも喜びの感情をもらっています。彼は気がつくといつでも歌を口ずさんでいますが、ほとんど一日中歌いっぱなしの彼のそばにいると、私までなぜだか幸せな気持ちになれるのです。

あなたのそばにいる人は、あなたにポジティブな気持ちを分けてくれますか。

人と人をつなぐ「脳内のミラーニューロン」のしくみ

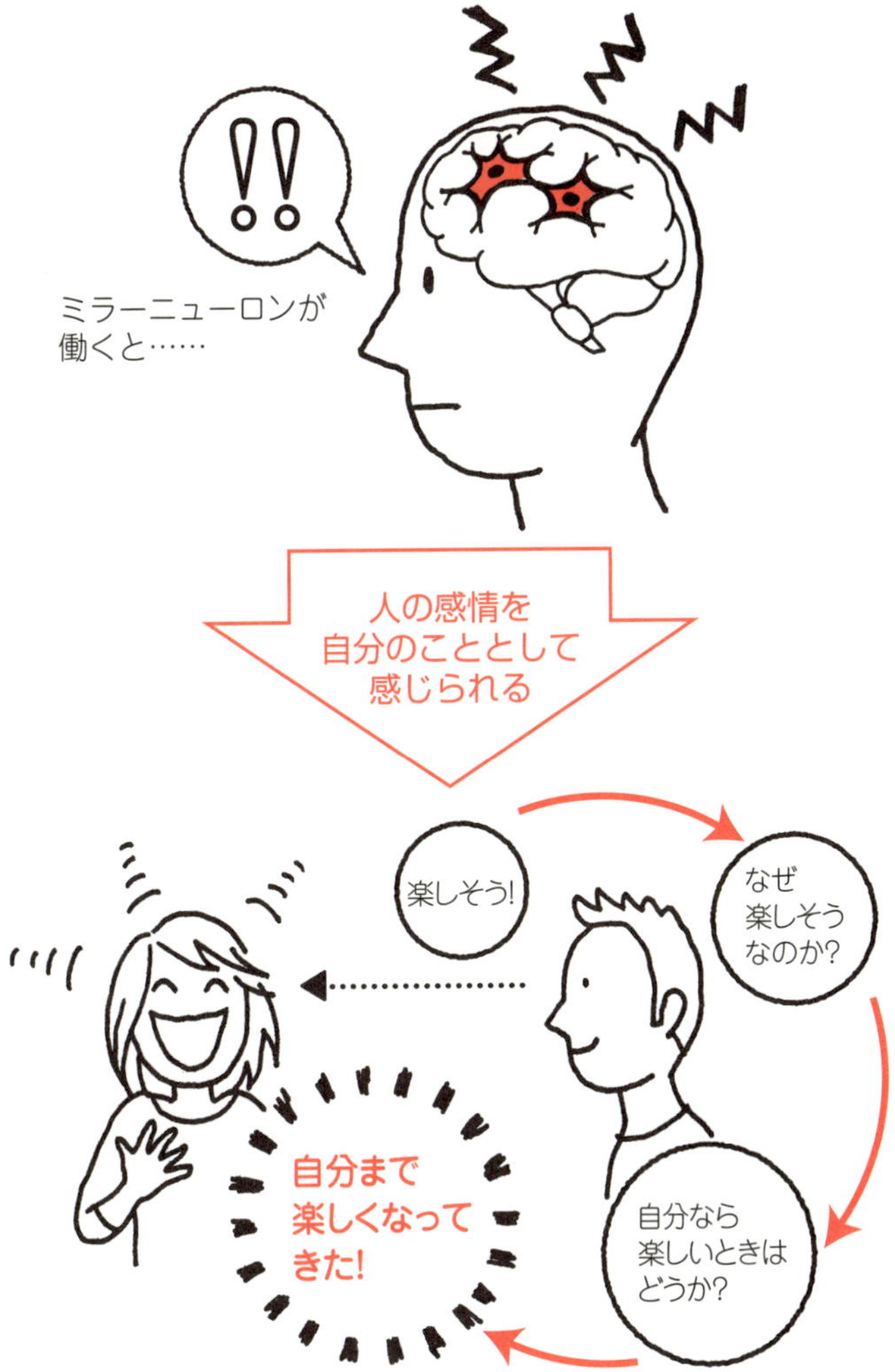
!!
ミラーニューロンが
働くと……
人の感情を
自分のこととして
感じられる
楽しそう!
なぜ
楽しそう
なのか?
自分なら
楽しいときは
どうか?
自分まで
楽しくなって
きた!

✴ なぜ女性は男性より「おしゃべり」なのか

人間関係は身体にも影響を与えます。人と楽しく接しているとき、脳は幸福の化学物質を細胞へ送り込みますが、ネガティブな接し方をしているときは幸福感をブロックしてしまう化学物質が体内に放出されてしまいます。

最近の研究によれば、**女性は生化学的に、男性より他人とのつながりを求める傾向がある**ことがわかっています。

男女ともにストレスを感じればアドレナリンやコルチゾールといったストレスホルモンを分泌しますが、この悪影響を和らげるために、女性の脳は「結びつきのホルモン」であるオキシトシンを放出しようとします。

女性が落ち込んだとき、友だちと集まっておしゃべりに興じたり、子どもやペットに接したりするのはそのためでしょう。こうした行為がオキシトシンの分泌をうながし、女性の心を穏やかにして、ストレスを消していくからです。

女性の心と身体に友人関係が与える影響の大きさについては、他にも裏づけがあります。ハーバード・メディカルスクールの調査では、友人の多い女性ほど、高齢になってからの病気が少なく、幸せな老後を送る可能性が高いという結果が得られました。研究者たちは、**女性にとって「友人がいないこと」は「喫煙」や「肥満」より身体に悪い**といいます。

恋愛に関する著書を数多く発表しているジョン・グレイ（『ベスト・パートナーになるために』三笠書房）は、ストレスやホルモンと性別の関係について幅広い研究を行なっている心理学者です。

グレイによれば、ストレスを感じたとき女性はオキシトシンを分泌しますが、男性にはそれがなく、コルチゾールの分泌によってドーパミンやテストステロンの値が抑えられ、憂うつや不満を感じるようになるといいます。

こういった幸福のホルモンの生成をうながすために、**男性は女性のようにおしゃべりや愛情を与える行為でストレスを解消しようとせず、問題の解決や克服などの行動に出ようとします。**男性はオキシトシンの量が少なくなっているために、人間関係にさほど注意を払わなくなるというのです。

このように、幸福感は周りの人々との関係に左右されます。

支えてくれる人々に囲まれていればエネルギーは拡大し、悪影響をもった人々に囲まれていればエネルギーは縮小します。

自分のエネルギーを高めるためには、人間関係がとても重要だということなのです。

逆に言うと、あなたのエネルギーが高まっていないと、素晴らしい人間関係を得ることはできません。人間関係づくりのためにできる習慣を始めてみましょう。


幸せを呼ぶ「脳の使い方」19

人間関係のメンテナンス

美しい庭をつくるには、雑草をとり除き、種や苗を植え、水をやるという世話が必要です。

人との関係についても同じで、大切な人との関わりに多くの時間を費やすことは、けっしてムダにはなりません。

一方で、脳内の幸福感が大きくなれば、そうそう人間関係に惑わされることはなくなります。

「幸せの国の百人」は、**悪影響を受けそうな人とはなるべく関わらないようにして、関わらなければならないときも上手に受け流しています。**

作家マーサ・ベックは、初めて会う人々に不思議なつながりを感じるといいます。

マーサの物語
本当の家族と出会う瞬間

アリゾナ州フェニックスに引っ越してきた直後、孤独感から、私は同じように本好きな友だちを探そうと、あるイベントに出かけていきました。しかし、そこにはあまりに長い行列ができていたので、あきらめて出て行くことにしました。

会場から出るときには、まさに後ろ髪を引かれる思いでしたし、家へ向かって車を運転しているときも、何度もUターンしようと思いかけてやめました。もしかしたら、そこで誰かと会えるかもしれなかったのに……そう思えて仕方なかったからです。

アネットと会ったのは、その一週間後、喫茶店に入っていったときです。見てすぐに「彼女だ！」と思いました。なぜか不思議なことに彼女を「知っている」と思ったのです。アネットは先のイベントにもいたそうですが、私は見ていませんでした。でも、遅かれ早かれ彼女と出会う運命だったのだとピンときました。

彼女を見た瞬間に、この喫茶店でこの時間に会おうとずっと前から約束してあったかのように感じ、鳥肌が立ちました。

このゾクゾク感は、私にとって初めてのものではありません。さまざまな場所でさまざまな人々に、同じような気持ちを覚えてきました。この地球上に存在する、ほんのひと握りの「本当に好きな人」に出会えた、そんな感覚です。

それは十五歳ごろから始まりました。

当時の私は同年代の女の子たちとは違って、恋愛やロック音楽には関心がなく、文学や生物学にのめり込んでいました。友人の中にいても、なぜか溶け込むことはできませんでした。私はいつもどこかにいるはずの仲間を探してさまよっていたのです。

教室で、歩道で、ショッピングセンターで、私はよく磁力のようなものを感じて誰かに引きつけられました。暗闇の中で光り輝くものを見つけたように、その人から目が離せなくなるのです。

年齢や性別は関係ありません。恋心とも違います。なぜだか、ただその人を〝知っている〟と感じるのです。

大学生になるころには、この感覚は強くはっきりとしたものになっていました。

大学初日、知り合いもなく一人キャンパス周辺を歩いていた私は、たまたま覗《のぞ》いた絵画教室の先生を見た瞬間、すぐに「人生の師」に出会ったと感じました。

その日の午後、バス停のそばでスケッチブックを広げていると、おしゃれな雰囲気の女性が私の絵をのぞき込んできました。

「へえ、絵を描いているの？　この近くにいい絵の教室があるわよ。行ってみたら？」

「ええ、実はそこの生徒なんです」

女性は私の目をじっと見て、「それはよかった」というふうにうなずきました。同じ絵画教室のことを言っているのは間違いありません。女性はやってきたバスに乗り込んでいきました。

それ以来、その女性に会うことはありませんでしたが、彼女のことは〝知って〟いたし、友情に似た気持ちを感じました。私たちはその場所で会う約束になっていたのだと思います。

頭がおかしいと思われるかもしれませんが、本当にそんな気持ちだったのです。見知らぬ人を〝知っている〟と感じる経験は、歳を重ねるごとに多くなっています。

血はつながらないけれど、私には精神的につながった「大きな家族」がいる。その考えはあまりにも自然で疑いようがありませんでした。今ではもう、どこで〝知っている〟人と出会っても驚きません。彼らは私の兄や弟、姉や妹、あるいは息子なのです。

彼らは突然思いもかけないところに現れるもの。アネットもそうでした。彼女と知り合ってすぐ、私たちは別の仲間も引き入れて、文学サークルをつくることにしました。

最初の会合の前夜、私はある夢を見ました。それはナバホ族の女医から、蝶を型どった青い石を渡される夢。女医はナバホ語で〝人々〟を意味する「ディネー」という言葉を口にしました。

次の日、夢のことはすっかり忘れていましたが、会合で初めてトーラという女性に会ったとき鳥肌が立ちました。夢に現れた女医にそっくりだったからです。さらに会合に参加したもう一人の女性ドーンには「ディネー」という双子の妹がいると教えてくれました。

私はびっくりして昨夜見た夢の話をしました。するとアネットが突然笑いだし、ハンドバッグから蝶を型どった青い石を取り出したのです。

偶然にしては、あまりにできすぎだと思いませんか。

また、こんなこともありました。

初めて編集者のベッツィーにニューヨークで会ったときのこと。会って三十秒で、彼女は私の〝妹〟だと思いました。

マンハッタンでランチをとったあと、私はベッツィーに小さなカメの置物をプレゼントしたのです。

『作家はカメのようなもの、ゆっくりと着実に進み、必要なときには首を引っ込める』と書いたメモを添えて。

「カメの置き物、ありがとうございました」ベッツィーは言いました。

「不思議ですね。まるで私はカメが好きだってこと、ご存じだったみたい」

そう、知っていたのかもしれません。

長くこんな経験をしていると、いつ大切な家族と会うのか、どんなプレゼントを上げればいいのかさえ、ピンと来るようになっているからです。

私にとって人生は、家族を見つける長い旅のようなもの。人種も国籍もさまざまです。こんなに大きく、こんなに素晴らしい家族がいることを思うと、ときどき幸せでたまらなくなって涙が込み上げてきます。

初めて会う人でも、まるで旧知の友人のように接することができるのです。

ある講演会で会った男性は、名乗りもせず、いきなり私に近づいてきて腕を広げました。それは「やあ、マーサ！　約束どおり来たよ」という感じでした。

私たちは二人とも喜びで胸がいっぱいになりました。

「あっ、そうそう！」彼はにこやかに笑って言いました。「あなたに本をもってきたのですよ」

それは、私が読みたいと思っている本のどれかに違いありませんでした。

彼とは二度と会わないかもしれませんが、お互いに相手のことは忘れないと思います。

本の宣伝でドイツに行ったときは、あるドイツ人の男性が私の手をつかんで「Du（あなただ）」と言うのです。私も「あなたね」とほほ笑み返しました。お互いを見つけたことがうれしくて、二人で声を上げて笑いました。

「話す言語は違うけれど、僕たちは心でつながっていますね」

彼はドイツ語でそう言いました。ドイツ語はあまり得意ではありませんが、彼の言葉ははっきり理解できました。

ある年齢に達してからは、このような経験にはもう慣れてしまって、出会いにゾクゾクすることも、意味を深く考えることもなくなり、ただ大切な人に会えたことを静かに喜べるようになりました。

それでもときどきふと思うのです。人は誰でも心でつながった家族をもっているのではないのだろうか。もしそうだとすれば、それぞれの家族に何か使命のようなものがあるのではないだろうか、と。

本当の答えはわかりません。もしかしたら、私のこれまでの出会いは、ただの妄想の積み重ねだったかもしれませんが、それならそれでいいのです。すべて妄想だとしても、こんなに素晴らしく、楽しい妄想なら大歓迎だと思いませんか。

✴ 脳は「相手の感情」を拾いやすい

どんな人と一緒に時間を過ごすかは、人生を大きく左右します。だからこそ慎重に相手を選びたいものですが、すべての人があなたを幸せにしてくれるわけではないのでやっかいなのです。

それまでウキウキしていたのに、「たまたまある人と会ったためにすっかり気分が悪くなった」という経験はないでしょうか。これは先に述べたように、ミラー・ニューロンが働いて悪い感情に感染してしまった例です。

悪い感情を拾ってしまわないためのてっとり早い方法は、**「幸福感を吸いとってしまうような人とはつき合わない」**ことです。

ここで「どんな人とも、平等にうまくやっていくことができない」自分に、罪悪感を感じる必要はないのです。

避けるべきはだいたい次のような人々でしょう。

不平を言う人、希望を削《そ》ぐ人、相手をへこませる人、そしてこれは見極めるのはなかなか難しいのですが、自分の考えに夢中な人、臆病な人、批判的な人、そしてできれば策略家も避けたほうがいいでしょう。たとえ彼らに悪気がないとしても、そういう人たちと接すれば、きっと気分が重くなったり、イライラしたりします。

できるだけ楽しい気持ちを分けてくれる人に囲まれて暮らしましょう。

悪影響をもった人を避けるには、「心のGPS」を使ってください。目を閉じて深呼吸し、周りにいる人々を一人ひとり思い浮かべてください。

あなたのエネルギーを拡大させる人は誰でしょうか。逆に縮小させる人は誰でしょうか。避けるべき人が職場の同僚や親戚である場合、その人を完全にシャットアウトすることはできないかもしれません。

そんなときには一定の境界線を引き、「そんな話をするあなたとは、深いおつき合いは遠慮します」という意思表示に出ていいのです。

次の方法で、ネガティブな感情の感染を予防することができます。

① 相手と正反対の態度をとる

ミラー・ニューロンをうまく使いましょう。怒っている人や虫の居所の悪い人と話さなければならないときは、意識的に視線を柔らかくし、口調を穏やかにして、悪い感情の連鎖を止めるのです。くれぐれもこちらも反応して、相手の感情を映し出してしまわないようにし

「脳によくない感情」はこの対策でシャットアウト!

対策１：正反対の態度をとる

対策２：見えない壁を築く

対策３：相手を変えようとしない

ましょう。

②見えない壁があると想像する

その場から立ち去ることができないのに、悪い感情をまともにぶつけられたなら、相手との間に見えない壁があると想像してみます。この壁が心の緩衝材となって、仕返しをしたくなる気持ちが和らぐでしょう。

③相手を変えようとか正そうなどと思わないこと

どんな接し方をされようと、その悪い点を指摘して、相手を変えようなどと思ってはいけません。人を変えたいと思うなら、何も言わずに自分が手本を示すのがもっとも効果的なのですから。

✴「心のバケツを満たす」2つのエクササイズ

素晴らしい人間関係を保つための最大の武器は、ひと言「ありがとう」です。

周りの人たちの支えに対して感謝の気持ちを伝えれば、人々はさらに助けてくれるようになり、絆《きずな》はもっと強固なものになるでしょう。これが人間関係における「引き寄せの法則」です。

アメリカ労働統計局によれば、会社を辞めた人の四〇パーセントは、低賃金や重労働が理由ではなく、自分の価値を認めてもらえなかったことを辞職の理由に挙げているそうなのです。誰もが、家でも職場でも自分の価値を認めてほしいと思っているいい例でしょう。

しかし、私たちはもっとも身近な人々の支えを「当然」と思っていて、彼らがどれほど貴重な存在かを態度で示そうなどとはなかなか考えないものです。

心理学者ジョン・ゴットマンは七百組の新婚夫婦を調査し、相手を不快にさせることを言う回数1に対して、相手が喜ぶことを言う回数が5以上なら、その夫婦は離婚しないという予測を立てました。

十年後、夫婦たちを追跡調査したところ、驚くべきことに、離婚すると予測された夫婦の九四パーセントは実際に離婚していたのです。

ドナルド・O・クリフトンとトム・ラスは、著書『心のなかの幸福のバケツ』（日本経済新聞社）の中で、人をやる気にさせるもっとも効果的な方法は、**具体的で誠実な褒《ほ》め言葉によって「心のバケツを満たしてあげること」**だと言っています。

意識して身近な人を褒める習慣を身につけましょう。

次のエクササイズを、身近な人と毎日行なってみてください。

①まずあなたが「相手のいいところ」を一つ挙げます（「いつも冗談を言って笑わせてくれる」「頼りになる」「優しい」など）。次に相手があなたのいい点を一つ挙げます。これを五回以上繰り返します。

②交互に「自分のいいところ」を一つずつ言い合い、これを五回以上繰り返します。

幸せを呼ぶ「脳の使い方」20

「サポート体制」をつくる

時には友人や家族の支えだけでは不十分なこともあります。

つらい思いをしているとき、あるいは困難に立ち向かっているとき、身近な友人や家族は慰めてくれたり同情してくれたり、「今のままでも十分よくやっている」と言ってくれたりするかもしれません。

しかし、あなたが本当に必要としている「強さ」や「勇気」は与えてくれないかもしれません。

サポート体制を強固にしておくには、**家族や友人以外に定期的に顔を合わせる仲間をつくっておくのが理想的**です。「大丈夫、何とかなるって」以外の、率直で的確な意見やアドバイスがもらえそうな場をストックしておくのです。

✷頭の中に「ドリームチーム」をつくれ

家族や身近な仲間以外のつき合いも大切です。忘れかけていた「本当の自分」を思い出させてくれる仲間は、真にかけがえのない存在でしょう。

私はずっと女性同士のサポートグループをつくっていましたが、それは天からの贈り物だったと思っています。幸せを見つけようとしていた私を、いつも支えてくれたからです。

始まりは、ある自己啓発セミナーに参加したことでした。「自分を強くするトレーニング」と題されたそのセミナーの最後に講師が「人生を豊かにするために、どんな仲間でもいいからサポートグループをつくりなさい」と教えてくれたのです。

私はさっそくそのセミナーで会った人や以前からの友人を誘って、女性のみ七人のグループを結成しました。グループの主な活動は、週替わりで誰かの家に集まり、互いの話を聞くこと。

全員が輪になって座り、順番に自分の話をしていきます。一巡目はその週に達成したことを、二巡目は翌週の目標を話します。そしてそれぞれの目標に向けて、アドバイスや励ましの言葉をかけ合うのです。

集まりで話されることはすべて他言無用とし、誰の話にも公平に時間をとりました――もちろんとりわけ深刻な問題には多くの時間を割くようにしました。

グループでは全員が、(a)人の話を遮《さえぎ》らない、(b)被害者ぶった発言はしない(他人や自分を責めたり不平を言ったりしない)、(c)求められたときだけアドバイスする、(d)聞いたことは口外しない、ということを守って話をします。

週一回の集まり以外にも、私たちは一緒に過ごす機会が多く、互いの結婚式に参加し、出産や離婚も助け合って乗り越えました。そして最悪の悲劇――メンバーの一人サンディーが交通事故で亡くなったときの悲しみも、残された六人で支え合って乗り越えたのです。

サンディーは独身で近しい身寄りもなかったため、葬儀の手配は私たちが行ないました。葬儀はサンディーへの哀悼の儀式となっただけでなく、私たちが互いの存在に感謝する場ともなりました。

十年後にそのグループが解散したあともずっと、仲間の大切さは身にしみています。

幸せのサポート体制には、他にもさまざまな形が考えられます。

「幸せの国の百人」の一人ナンシーは、とてもユニークなサポートグループを結成しています。

何とグループのメンバーは、アインシュタイン、ガンジー、ゲーテ、リンカーン、老子など歴史上の偉大な人物たちで、ナンシーは彼らの名言や写真に囲まれて暮らしているのです。あるものは額に入れて壁にかけ、あるものはメモに書いて鏡の枠に挟《はさ》んである。パソコンの横、電話のそば、キッチンの流し台など、一日中どこを向いても彼らの励ましがあるのです。何と言っても史上最強の「ドリームチーム」が、二十四時間ナンシーをサポートしているのだから効果は絶大です。

要は、**自分の精神的成長を助けてくれる人々を、周りに配しておく**ことができさえすれば、ドリームチームに時空は関係ありません。

幸せを呼ぶ「脳の使い方」21

世界を旅してみる

「幸せの国の百人」とのインタビューから気がついたのは、彼らは皆、**世界を家族のように感じている**ということです。

彼らの愛や共感、思いやりや関心は、家族や友人にだけではなく、すべての人間に注がれており、国籍も人種も宗教も超えたところに存在します。

本当に満たされた人々は「みんな自分と同じ、誰もが愛と幸せを求めている」と信じていて、大きな家族の一員だという気持ちから、いつでもどんなことでも人々の役に立ちたいと考えているのです。

つまり、物事を狭い範囲で考えず、いつも脳を多角的に使っているといえるでしょう。

そして、「自分自身が幸せであること」も、立派な社会貢献です。

作家エリザベス・ギルバートは、世界各地を旅して自分探しをした経験を『Eat, Pray, Love（食べて祈って愛して）』に書き、本は全世界でベストセラーになりました。彼女はよくこう尋ねられるといいます。

「自分探しのために世界旅行とは、ちょっと贅沢《ぜいたく》じゃありませんか」

エリザベスの答えはいつもこうです。

「そうですか？　ナルシスティックで憂うつそうな顔をしながら引きこもっているほうがよっぽど贅沢だと思います。その人は社会に何の貢献もしていないのですよ。誰にも何も与えていない。私が世界のためにできる一番の方法は、この幸せをみんなに分けてあげることですから」

✷脳にできた「新しい神経回路」をたくましく育てるために

ほほ笑みは人との親愛関係を育む一番の方法です。一瞬ニコッとしただけで、大きな力を発揮することもあるのです。

直観医療（人のもつ「気」から体調や病気を読みとる代替医療の一種）の第一人者キャロライン・メイスは、著書の中でこのことを示す端的な例を紹介しています。

ある若い男性が自殺を決意し、アパートに向かって足どり重く歩いていました。通りの角で車が通りすぎるのを待っていると、運転席の女性が彼の顔を見て大きくニコリとほほ笑みました。その笑みは温かく思いやりに満ちていたのだといいます。

世界にはまだ優しさが残っていると気づいた若者は、自殺を思いとどまったのだそうです。

どこに住んでいようと、心からのほほ笑みは年代の差も文化の違いも超えて、つながりの気持ちを生み出します。

「幸せの国の百人」の一人ロコ・ベリックは、アカデミー賞候補にもなった映画監督です。ロコは現在、次の作品『幸せの革命』のために、ブラジル、インド、ナミビア、日本など多くの国々で、「幸福」をテーマに人々の様子をフィルムに収めています。

ロコはさまざまな国の人々を取材して、人とのつながりが心の穏やかさや幸福感にどれほど重要な役割を果たすかを実感したといいます。

日本を取材しようと思ったのは、日本は物質的には豊かだが精神的にはそうではないと聞いていたからでした。

実際に日本に行ってみて、まず東京の地下鉄に乗っている八割の人が寝ているか寝ようとしているのに驚いたそうです。東京の人々は毎日長時間働いているため、睡眠時間が不足しているのでしょう。**生産することに一生懸命で、眠る時間だけでなく、人とのつながりを感じる時間も十分にとれていない**のではないでしょうか。

一方で、世界の長寿男性・女性が日本、特に沖縄に多く住んでいるという事実もあります。

そこでロコとスタッフは、沖縄の長寿の秘密を確かめるため、島に向かいました。

沖縄でロコは幸せに暮らす人々と出会い、九十歳を超えてなお強い陽差しの中で畑仕事に励み、笑い、人生を楽しんでいるお年寄りたちを目《ま》の当たりにしました。

その多くが第二次世界大戦で夫や息子を失った年配の女性たちですが、愛する人を失ったつらさや悲しさをみじんも見せず、彼女たちは幸福感で輝いていました。

その秘密は、沖縄の人々の世代を超えた交流にあるようです。金曜の夜ともなれば、人々が集まり、地元の音楽が演奏され、老いも若きも一緒になって踊ります。アメリカなら「格好悪い」と言って敬遠しそうな年齢の若者たちでさえ、楽しそうに踊っているというのです。

沖縄の人々が高い幸福感をもっていることは確かでしょう。それは、**コミュニティー意識がどれほど個人の幸せに強い影響を与えるか**を示す事例といえます。

家族や親しい友人と一緒にいるときの居心地のよさを、どこで誰と一緒にいても感じられたなら、どんなにか素晴らしいでしょう。それが**「世界を家族と考える」「コミュニティーを世界に広げる」**ということです。

見ず知らずの人でさえ「家族」と思えるようになれば、今よりずっと満たされた気分になれることは間違いありません。

今日出会う人々をあなたの父親や母親、子ども、かわいいおいっ子やめいっ子と思って接してみる——職場で、スーパーで、サークルで実行してみてください。

気遣われ尊重されているという気持ちを、出会うすべての人々に与えましょう。そうすることで世の中に役立てていると思ってください。

その日の終わりに、あなたはどんな気持ちになっていますか。人々を幸せな気持ちにしたはずが、逆に自分が一番幸せな気持ちになっていることに気づくはずです。

脳を育む道のりは大股で歩く必要はありません。少しずつでも休まず進めば、それが一番の近道になります。大きな成功は、少しずつだが継続的な改善によってもたらされます。

少しずつ変えていくことで、脳の中に生まれた新しい神経回路がしっかりとした道になり、やがて意識しなくてもあなたの望むとおりの行動をとることができるようになります。

私たちは誰もが必ず、「脳にいいこと」を実践して幸福感に満ちた人生を送ることができます。

すべての人生が満たされたものになれば、世界全体が本当に平和な場所になるでしょう。

そんな世界が訪れんことを祈って——。

（了）

「脳《のう》にいいこと」だけをやりなさい!

著　者――マーシー・シャイモフ
訳　者――茂木健一郎（もぎ・けんいちろう）
発行者――押鐘太陽
発行所――株式会社三笠書房
〒102-0072 東京都千代田区飯田橋3-3-1
電話：(03)5226-5734（営業部）
：(03)5226-5731（編集部）
http://www.mikasashobo.co.jp
印　刷――誠宏印刷
製　本――若林製本工場

ISBN978-4-8379-5696-9 C0030

落丁・乱丁本はお取替えいたします。
＊定価・発行日はカバーに表記してあります。